LE TROU DANS LE MUR

MICHEL TREMBLAY

LE TROU DANS LE MUR

roman

LEMÉAC / ACTES SUD

Leméac Éditeur remercie le ministère du Patrimoine canadien, le Conseil des arts du Canada, la Société de développement des entreprises culturelles du Québec (SODEC) et le Programme de crédit d'impôt pour l'édition de livres du Québec (Gestion SODEC) du soutien accordé à son programme de publication.

© LEMÉAC ÉDITEUR, 2006
ISBN-13 : 978-2-7609-2582-3
ISBN-10 : 2-7609-2582-X

© ACTES SUD, 2006
pour la France, la Belgique et la Suisse
ISBN 2-7427-6603-0

Photographie de couverture :
© Brad Valenta

À Lise Bergevin et Pierre Filion,
plus que des éditeurs, des amis.

*Je veux bien, les fantômes n'apparaissent
qu'aux malades ; mais, n'est-ce pas, ça prouve
seulement que les fantômes ne peuvent apparaître
qu'aux malades, et pas qu'ils n'existent pas
en tant que tels.*

Dostoïevski, *Crime et châtiment*

*Et je vous assure que peu importe
le temps qui s'est écoulé :
les tragédies sont toujours jeunes.*

José Carlos Somoza, *La dame n° 13*

Ce sont les méchants qui font l'histoire.

Philip Le Roy, *Le dernier testament*

PROLOGUE

Bien sûr, on va m'accuser d'avoir tout inventé. On va me traiter de tous les noms, on va parler de fièvres, d'hallucinations, d'imagination malade ; on va me pointer du doigt et rire sur mon passage. Mais moi je sais ce que j'ai vu, ce que j'ai vécu, et ce témoignage que je m'apprête à écrire, si jamais il tombe entre les mains de qui que ce soit – parce que je n'ai pas l'intention de le faire publier –, pourra servir d'aide-mémoire autour d'un mystère que je n'arrive toujours pas à m'expliquer mais qui, pourtant, donne la solution à beaucoup de questions qu'on se pose depuis longtemps dans un certain milieu au sujet des créatures, tantôt loufoques, tantôt pathétiques, qui y évoluent. La vraie raison de leurs disparitions, par exemple, ou les circonstances exactes qui les entourent, au lieu des légendes qui se transforment et se boursouflent en circulant.

Pourquoi tout ça m'est-il arrivé à moi plutôt qu'à un autre ? Le hasard ? Ou alors un quelconque dieu mineur d'une religion oubliée m'a-t-il élu sur un coup de tête pour faire de moi le messager à abattre ou, du moins, dont on pourrait se débarrasser quand il aurait rempli sa fonction et qu'il serait lui-même devenu inutile ? Et pourquoi ai-je mordu à l'hameçon, lors de ma première visite au Musée, au lieu de me détourner et de m'éloigner en courant avant d'être happé par les récits trop beaux, trop terribles qu'on s'apprêtait à me raconter ? La simple curiosité ? Le destin ? L'insouciance ?

Il paraît, en effet, que l'insouciance est l'un de mes principaux traits de caractère. C'est vrai que j'ai la mauvaise habitude de me laisser entraîner dans des aventures invraisemblables sans prendre la peine de réfléchir, au risque de me plaindre, après, de mettre tous les maux que me valent mes folles équipées sur le dos de ma grande faim de savoir, de connaître le fond des choses, leurs tenants et aboutissants, leur signification. Ça a commencé il y a longtemps, avec cet œuf de verre hérité de mon père[1] qui a failli me tuer après m'avoir attiré dans une histoire non seulement impossible, fantastique, mais, en plus, dangereuse, et ça s'est poursuivi tout récemment avec l'apparition du trou dans le mur, de la porte du côté caché des êtres. Je n'avais d'autre choix, j'en suis convaincu, que de me laisser porter par les merveilles et les horreurs qui allaient m'être révélées à grands cris désordonnés ou en chuchotements si bas que j'aurais de la difficulté à les entendre, et c'est ce que j'ai fait.

Quoi qu'il en soit, qu'on choisisse de me croire ou non, j'ai décidé de consigner ici, à la suite du manuscrit de « La cité dans l'œuf » que je garde caché depuis de si longues années après l'avoir enfin retracé puis retrouvé, tout ce que j'ai entendu lors de mes visites dans cet antre de misère et de douleur sur lequel je suis tombé, sinon par hasard, du moins d'une façon fortuite et, surtout, involontaire.

Je ne demande à personne de me croire, qu'on se contente de suivre ces récits pour ce qu'ils contiennent de grandes souffrances vécues par de petites gens et de malheurs souvent injustes frappant des êtres qui ne les méritaient pas. Laissons pour une fois la rationalité de côté et plongeons sans nous poser de questions sur le versant onirique de l'existence ; écoutons ce qu'ont à nous dire ces personnages qui n'ont peut-être jamais existé, mais que j'ai tout de même eu le grand honneur

---

1. Voir *La cité dans l'œuf,* Bibliothèque Québécoise, 1997.

de croiser et, dans un certain sens, de fréquenter pendant un moment béni, si parfois difficile et même pénible, de ma vie.

François Laplante fils

I

LE TROU DANS LE MUR

Qu'est-ce qui m'a pris, en plein mois de juin, d'aller manger des hot dogs sur la *Main*? Je ne saurais le dire, mais l'idée m'est venue pendant que je lisais un vieux roman des années cinquante – un peu ridicule, dépassé, mais charmant dans sa naïveté – de Michael Moorcock. Je souriais aux aventures improbables du prince Corum au pays de la Reine des Épées, j'étais sans cesse au bord d'abandonner ma lecture quand ça devenait par trop invraisemblable, mon attention dérivait à tout moment et j'étais obligé de reprendre des paragraphes entiers, lorsqu'une odeur de graillon venue d'à côté – mon voisin, par ailleurs américain et encore peu assimilé au Québec même s'il s'est jeté sur le premier appartement du Plateau-Mont-Royal qui lui a été offert, fréquente un peu trop la friture à mon goût – est venue frapper de plein fouet mes narines qui n'en demandaient pas tant. Il se faisait des frites par une journée si chaude! Et qui fleurait si bon l'été tout proche!

Les lilas achevaient mais, pour mon plus grand bonheur, des bouffées entraient encore par ma fenêtre durant la nuit et, de plus, les pivoines en bouton, devant la maison, semblaient vouloir éclater d'une journée à l'autre. J'adore les pivoines, et les deux courtes semaines où elles fleurissent – comme les lilas – sont toujours pour moi une source de joie. Le soleil était enfin de retour après un mois de mai glacial et pluvieux, les Montréalais, gris, cernés, la peau étirée par la fatigue, commençaient à peine à émerger de leur torpeur, et voilà que l'autre, là, l'imbécile, sortait sa friteuse et ses patates frites congelées au lieu d'aller promener son spleen au soleil comme tout le monde ! J'avais envie de lui crier qu'on en trouve partout, des frites, qu'on n'est pas obligé de faire surchauffer sa cuisine pour en préparer. Mais j'avoue – gourmand un jour, gourmand toujours – que la seule idée de la frite bien croquante à l'extérieur et molle à souhait à l'intérieur m'a fait saliver. Je n'en avais pas mangé depuis un bon moment et je m'imaginai accoudé au comptoir du Montreal Pool Room, sur la rue Saint-Laurent, entre Sainte-Catherine et René-Lévesque, un énorme hot dog *steamé* dans une main, un verre de Coke dans l'autre et, devant moi, molles et grasses au point d'en être dangereuses pour mon pauvre cœur, une portion de frites baignant dans une mixture de vinaigre blanc et de sel.

Je me suis persuadé – pensée positive, pensée magique, pensée ridicule – que traverser à pied une grande partie de Montréal deux fois, l'une à l'aller, l'autre au retour, me ferait dépenser assez de calories pour atténuer un peu le risque que pourrait représenter ce repas pour mes artères déjà sans doute bourrées de méchant cholestérol et de gras saturés et, sans plus réfléchir, j'ai posé mon *Tout Corum*, je me suis levé et j'ai quitté mon appartement après avoir nourri le chat qui venait pourtant de manger à peine une heure plus tôt. En le gratouillant derrière la tête, je lui ai d'ailleurs murmuré à l'oreille que nous allions engraisser ensemble et, sans aucun doute, mourir tous les deux en même temps, le même jour, à la même heure, comme un vieux couple. Museau a presque quinze ans et je vais moi-même toucher mon premier chèque de pension de vieillesse dans moins de deux ans. La tête plongée dans son bol, il ne semblait pas du tout intéressé par ce que j'avais à lui dire, il ne l'est jamais, et je l'ai laissé se bourrer en souriant.

Dans l'escalier, l'odeur de graillon était insupportable et je me suis dit que je ferais mieux d'aller manger une salade santé dans quelque repaire de fous de la luzerne et du thé vert. Mais l'idée bien ancrée du hot dog mou et de la frite suintante l'a quand même remporté, et c'est le cœur léger – avant de le surcharger de poison – que j'ai longé le parc Lafontaine avant de dévaler la côte Sherbrooke vers le sud.

J'ai mis cinq ans à trouver l'appartement de mes rêves, un immense sept pièces avec vue sur l'un des deux étangs du parc Lafontaine, et j'y suis installé depuis près de trente ans avec mes livres et une succession de chats jaunes que j'ai adorés – Fantasio, Rosie, puis Museau – sans jamais avoir ressenti le moindre petit regret : c'est un endroit exceptionnel, la lumière y est fantastique et j'y traîne avec plaisir ma vie sédentaire de célibataire endurci et consentant. En plus, il vaut maintenant une petite fortune et j'ai parfois l'impression d'être assis sur une mine d'or, ce qui est plutôt rassurant.

Le récit de mes conquêtes amoureuses serait inutile et, en plus, fort ennuyeux, je ne m'y attarderai donc pas. Disons seulement que j'ai toujours privilégié la solitude bien remplie à la vie à deux vide de liberté, et ça non plus je ne le regrette pas. L'expression *vieux garçon* était presque une injure quand j'étais jeune; ça ne l'est plus. Nous sommes de plus en plus nombreux, hommes et femmes, à faire la différence entre les sentiments et le cul, à les tenir bien séparés, ça fait notre affaire et tout le monde y trouve son compte : moins de problèmes, moins d'engueulades inutiles, moins de séparations et de divorces cruels jusqu'à l'absurde.

La rue Amherst était vide, la rue Sainte-Catherine, que j'ai empruntée après avoir tourné à droite, guère mieux lotie : nous étions dimanche en fin de matinée et Montréal, le dimanche en fin de matinée, est un désert de brique et de béton où chaque piéton est une anomalie suspecte. Autrefois, c'était à cause de la messe et du repas en famille, maintenant, c'est la faute du brunch dominical et du gros *New York Times* qui prend une éternité à éplucher. La pensée que le Montreal Pool Room allait être fermé m'a traversé l'esprit l'espace d'un moment, mais je me suis dit que les guidounes et les travestis de la *Main* devaient bruncher comme tout le monde, le dimanche, et c'est revigoré par l'idée de croiser quelques créatures du *redlight* de Montréal, avec ce sens de la repartie et ce sans-gêne qui font ma joie, que j'ai doublé l'allure. Quelques borborygmes venaient d'ailleurs de me tirailler les boyaux ; il me tardait de me retrouver plongé dans la graisse qui imprégnerait mes vêtements plusieurs jours durant d'une odeur douce et écœurante et remplirait mon cerveau d'une brume comateuse qui me ferait dodeliner de la tête et tituber, au retour, surtout pendant la montée de la côte Sherbrooke.

Au coin de la *Main* et de la Catherine, rien ni personne. Pas de clients, pas de guidounes, pas de sans-logis, pas de squeegies… J'étais seul à la croisée des deux rues, et une espèce d'angoisse légère mais bien reconnaissable s'est lovée au fond de mon cœur. J'ai tout de suite pensé à ce mauvais film des années soixante où Fred Astaire se retrouvait seul dans une grande ville des États-Unis après l'explosion d'une bombe, l'image impressionnante en noir et blanc et Cinémascope, le vent qui malmenait des papiers sales le long des trottoirs, les rues vides puis l'apparition de… qui était-ce, au fait, je crois bien que c'était Ava Gardner… oui, disons l'apparition soudaine d'Ava Gardner, la dernière femme sur Terre et pas n'importe laquelle ! Mais est-ce que je ne mélangeais pas deux mauvais films ? J'en avais vu en si grand nombre qu'il était bien possible que je les confonde, comme je mêle les trop nombreux romans d'*Heroic Fantasy* que je dévore depuis près de cinquante ans et qui finissent tous par se ressembler, sauf les chefs-d'œuvre, bien sûr, rares mais ô combien gratifiants : *Le seigneur des anneaux*, par exemple, ou bien quelques Dan Simmons...

Ce n'est pas Ava Gardner, cependant, qui a débouché de la *Main*, venant du nord et se dépêchant pour ne pas arriver en retard à un quelconque rendez-vous, mais une espèce de personnage sans sexe et sans âge, maigre et tremblant, qui m'a apostrophé après m'avoir presque renversé :

« R'garde donc oùsque tu vas, vieux chnoque ! Tu le sais pas que l'heure du brunch, le dimanche, c'est sacré pour les guidounes ? T'en trouveras pas une avant deux heures, après-midi, ça fait que tasse-toé pis prends ton mal en patience ! Va te bourrer d'œufs brouillés bacon-saucisses, pis tu reviendras plus tard ! Comme ça, tu vas baiser le ventre plein, pis elle aussi ! »

Je n'ai pas eu le temps de chercher une réponse, pertinente ou non, qu'il avait déjà disparu dans un terrain vague, sans doute à la recherche d'un fournisseur de paradis artificiel qui ne respectait pas lui non plus l'heure sacrée du brunch...

En étirant un peu le cou, je pouvais apercevoir la marquise du Monument-National, l'une des plus belles salles de spectacles de Montréal récemment remise à neuf pour les étudiants de l'École nationale de théâtre, où avaient jadis fait leurs débuts des noms aussi prestigieux que Léopold Simoneau et Pierrette Alarie. C'était un théâtre plein de fantômes du passé culturel de la ville, des Juifs du début du vingtième siècle qui avaient inauguré la salle avec des pièces en yiddish jusqu'à Gratien Gélinas lui-même et ses célèbres *Fridolinades*, en passant par Lionel Daunais, Olivette Thibault et d'autres vedettes des opérettes montées par les Variétés Lyriques dans les années quarante. Et, deux immeubles avant le Monument-National, je devinais la présence du Montreal Pool Room, suintant, odoriférant, le véritable but de cette promenade dominicale entamée sur un coup de tête.

J'ai pressé le pas. J'avais de plus en plus faim et je voulais en finir avant que la bonne vieille culpabilité m'empêche de mener mon projet à bien. Il ne fallait surtout pas que je pense au nombre de calories que j'allais injecter dans mon système. Sans doute de quoi repeindre l'intérieur d'une de mes artères d'une jolie couche de gras indélogeable dont j'aurais à payer le prix plus tard. Mais plus tard, à mon âge, peut très bien signifier bientôt, et c'est en chassant la vilaine pensée d'une belle grosse crise cardiaque ou d'un mortel AVC que je me suis dirigé vers le restaurant.

Si les travestis et les prostituées du *redlight* de Montréal avaient l'habitude de bruncher au Montreal Pool Room, ils l'avaient oubliée ce dimanche-là, parce qu'un seul client occupait la place lorsque j'ai poussé la porte : un soûlon à moitié endormi sur son *stool*, la chemise ouverte sur une poitrine velue avec exagération, le pantalon trop court et trop serré pour sa corpulence, tenant d'une main une cigarette qu'il ne fumait pas et de l'autre une tasse de café de toute évidence froid. Depuis quand était-il là ? D'où sortait-il ? Et comment avait-il fait pour se traîner jusque-là ? Il a ouvert un œil torve lorsque je me suis installé à trois bancs de lui. Voyant qu'il n'avait pas affaire à quelqu'un de sa connaissance, il a repenché la tête après avoir fait une tentative, vaine, pour vider sa tasse de café. Il n'a réussi qu'à faire une tache de plus sur sa chemise déjà pas mal souillée, tache qu'il n'a même pas pris la peine d'essuyer. Ça pourrait être moi dans pas longtemps, me suis-je dit, en commandant mes deux hot dogs *steamés* relish-moutarde-chou et ma double portion de frites. Et je n'étais pas tout à fait sûr que c'était faux. J'ai tendance à tout exagérer, comme ça, c'est vrai, pour me faire peur lorsque je suis au bord de commettre une gaffe, mais la plupart du temps j'en suis quitte pour une inquiétude plutôt vague qui n'arrive pas à me retenir : je commets quand même ma gaffe en haussant les épaules et en remettant à plus tard l'idée des dangers et de leurs séquelles. C'est donc en riant de cette ridicule inquiétude de finir un jour comme mon voisin de comptoir – voyons donc, un monde nous séparait et je ne buvais même pas ! – que j'ai mordu dans mon premier hot dog, d'ailleurs délicieux, moelleux à point, juteux juste ce qu'il fallait, bien chaud et, surtout, au goût très prononcé de saucisse fumée.

La chaleur était infernale dans le restaurant et on y baignait dans la graisse comme dans une assiette à soupe. Chaque respiration était difficile, l'endroit étant plus saturé de matières grasses que d'oxygène. J'ai pensé aux pauvres travestis qui faisaient tout pour êtres « belles », sentir bon, et qui venaient pourtant se plonger ici dans la dénégation même de la féminité : ça sentait le rance et le gars négligé, pas étonnant qu'ils aillent bruncher ailleurs !

Le Coke diète, la frite molle – peut-être tout de même un tantinet vinaigrée à mon goût –, tout était bon et, comme d'habitude, j'ai mangé trop vite. Ma mère, autrefois, m'aurait demandé si j'avais peur que ce soit mon dernier repas. Et je l'aurais envoyée promener d'un geste de la main tout en sachant qu'elle avait raison.

Presque aussitôt après avoir fini de manger, j'ai su une fois de plus pourquoi on appelait les hot dogs des « roteux » : un long gaz fleurant fort la viande fumée et le vinaigre m'est monté aux lèvres trop vite pour que je puisse le réprimer et j'ai vu le cuisinier esquisser un sourire complice. Ici, la satisfaction se manifestait d'une façon sonore qui valait bien des compliments. J'ai donc essayé d'en produire un deuxième pour lui faire honneur, mais rien n'est venu et c'est un peu frustré que j'ai payé ma note. Pas cher pour risquer sa vie : j'avais bruncé pour ce que m'aurait coûté une simple entrée dans un autre restaurant. Laissant un généreux pourboire sur le comptoir, je suis sorti de l'établissement après avoir jeté un dernier coup d'œil à mon voisin. Il ne rotait pas, il ronflait comme un bienheureux. Jusqu'à son prochain repas ? Jusqu'à l'ouverture des bars du quartier ? Jusqu'à ce que mort s'ensuive ? Après tout, peut-être habitait-il ici, baignant sans fin dans les miasmes des hot dogs et des patates frites, l'endroit avait la réputation d'être ouvert vingt-quatre heures sur vingt-quatre.

Dehors, la pollution qui planait sur la *Main* et même l'odeur pourtant écœurante des déchets qui s'accumulaient au bord du trottoir furent les bienvenues après l'étouffement pesant des graisses saturées du restaurant que je venais de quitter. Le bon vieux parfum de la ville me chatouillait les narines, l'air était doux, c'était agréable. J'avais envie d'allonger ma promenade mais j'avais aussi conscience de dégager un arôme de patate frite, aussi ai-je pris la sage décision de rentrer chez moi sans m'attarder et de prendre une longue douche. Et de mettre au lavage tous les vêtements que je portais. On ne sait jamais qui on peut rencontrer au cours de ces flâneries improvisées, et avoir conscience de sentir les relents de restaurant *cheap* est l'une des choses que je déteste le plus au monde…

Après mes ablutions, tout frais, tout neuf, je pourrais ressortir pour aller errer à travers Montréal comme j'aime tant le faire le dimanche après-midi. Et croiser sans inquiétude n'importe qui de ma connaissance en sachant que je fleurais plus les herbes de Provence que la patate frite au vinaigre.

Mais je ne peux jamais m'approcher du Monument-National sans m'attarder devant l'entrée, le temps de me rappeler le premier spectacle que j'y ai vu – *Les cloches de Corneville*, j'avais douze ans et je m'y suis ennuyé à mourir – ou imaginer ce qu'avaient dû représenter les grandes soirées de gala dans les années quarante, à l'époque où cette salle était l'une des plus courues de la ville. Je me suis donc planté sous la marquise, à la recherche d'une petite affiche qui m'aurait appris que les élèves de l'École nationale de théâtre répétaient un exercice public dont j'aurais mémorisé les dates pour ne pas le manquer. J'ai ainsi vu des choses magnifiques et des horreurs sans nom, mais jamais je n'ai regretté ma soirée. Regarder des étudiants en théâtre se jeter dans le vide sans filet est toujours intéressant, même lorsque le résultat est plus ou moins heureux. La ferveur, la sincérité, la passion, tout est exacerbé et on ne peut qu'admirer et même envier ces jeunes artistes qui réalisent enfin leur rêve de monter sur une scène. Et, en l'occurrence, pas n'importe laquelle. J'espère qu'on enseigne à ces jeunes gens l'importance de cette salle, son histoire et l'honneur qui leur est fait en les laissant s'y exprimer. Sans doute.

Mais cette fois, mon attention était troublée par un détail, peut-être insignifiant, en tout cas agaçant, qui dérangeait ma vue périphérique : je ne savais pas encore quoi, mais quelque chose clochait dans la scène, pourtant familière, qui se déroulait devant moi.

Puis je la vis.

Une petite et très vieille porte que je n'avais jamais vue auparavant s'élevait entre le Monument-National l'immeuble qui le séparait du Montreal Pool Room, comme si un corridor avait été pratiqué entre les deux bâtisses, un couloir étroit qui menait peut-être à la cour arrière... Pourtant, juste au-dessus, les deux maisons se touchaient comme à l'habitude. Alors quoi ? Un escalier qui descendait à la cave et que je n'avais jamais vu ? Un monte-charge comme il s'en trouve tant à New York ? Pourtant non, ce n'était pas un trou dans le trottoir comme à New York, mais bien un trou dans le mur. Cette porte avait donc toujours existé ? J'étais passé devant des dizaines de fois sans jamais l'apercevoir ? Était-ce possible ? Oui, puisqu'elle était là ! Elle devait y être aussi la veille et l'année précédente et peut-être depuis toujours... Pourtant... J'avais passé tant de temps devant ce théâtre depuis mon adolescence, à attendre qu'on ouvre la salle, à dévorer mon programme à l'entracte, à espérer voir quelqu'un de mon goût sortir et me regarder avec insistance, que cette porte aurait dû faire partie de l'image générale que je me faisais du Monument-National, s'intégrer, en quelque sorte, à la reproduction mentale que j'en gardais.

Je m'étais approché de cette porte sans trop m'en rendre compte. Elle n'avait pas été retouchée depuis des lustres, les planches étaient disjointes, il n'y avait même pas de serrure ; tout ça ne cadrait pas du tout avec le ravalement qu'on avait fait subir à la bâtisse quelque dix ans plus tôt. J'ai pensé en même temps à Alice, au terrier du Lapin blanc, au trou dans la terre qui menait à un monde absurde et magnifique et même à mes propres aventures dans la Cité dans l'œuf auxquelles aucun médecin n'avait voulu croire, à l'époque, aux regards soupçonneux dont on m'avait gratifié si longtemps, aux années que j'avais passées en institution suite à la destruction de l'œuf de verre alors que j'insistais sur la véracité de mon récit au milieu de l'indifférence générale, et je me suis dit : « ça y est, ça recommence ».

Bien sûr, j'aurais pu tourner le dos à tout ça, m'arranger pour oublier le nouveau trou dans le mur du Monument-National – le déni est l'une de mes grandes spécialités, la période de ma vie qui a suivi mon internement en fait foi – et m'en retourner chez moi en sifflotant, quitte à revenir vérifier plus tard, ou un autre jour, si la porte était toujours là. Mais ma curiosité est encore plus forte que mon sens du déni. J'ai donc levé la main sans réfléchir, posé mes doigts sur la poignée, pressé la clenche qui a aussitôt obéi à mon pouce… Une toute petite poussée, et la porte s'est ouverte vers l'intérieur. Un couinement de goret qu'on assassine s'est fait entendre, preuve que cette porte n'avait pas été ouverte depuis longtemps. Un souffle de vent glacial a couru, comme lorsqu'on passe entre deux maisons rapprochées, à l'automne, et qu'une rafale vous surprend avant que vous ayez eu le temps de remonter votre col. C'était humide et ça sentait… quoi ? Peut-être la terre où pourrit quelque chose. Oui, c'était ça. Un trou dans le mur qui aurait tout aussi bien pu être un trou dans le sol. Et qui sentait la mort. Mais la mort de quoi ? D'animaux ? D'humains ? À l'intérieur, entre les deux maisons, tout était noir, je ne distinguais rien. Je suis donc resté sur place, à attendre que mes yeux s'habituent à l'obscurité.

Ça ressemblait à un corridor de cave avec des murs de briques et un plancher de terre battue. Plusieurs générations de fils d'araignées pendouillaient dans le courant d'air glacial. De l'eau suintait le long du mur de droite et mouillait le sol. Pas de rats, cependant. Mais peut-être avaient-ils détalé en entendant la porte s'ouvrir et m'attendaient-ils dans quelque recoin obscur. Pas de Lapin blanc pour moi, mais une horde de rats bien gras qui me feraient mon affaire dans le temps de le dire… Je souriais de mon sens de l'exagération et m'apprêtais à faire un pas en avant lorsque j'entendis quelqu'un dans mos dos qui m'interpellait. Je me suis retourné, m'attendant presque à trouver le maudit Lapin blanc qui m'aurait poussé dans le trou en disant qu'il était en retard, très en retard, à un rendez-vous important. Avec la Reine de Cœur.

Le soûlon de tout à l'heure, titubant sur ses jambes qui le supportaient à peine, me regardait avec des yeux ronds.

Je lui fis un petit salut de la main.

« Vous m'avez parlé ? »

Il s'est approché de moi et l'odeur d'alcool qu'il dégageait m'est montée droit à la tête, alors que plus tôt le graillon avait tout couvert. J'ai failli vaciller sous le choc, mais je me suis retenu au montant de la porte.

Sa voix était cassée par l'abus de cigarettes et la consommation d'alcool de toutes sortes. Est-ce que le gras saturé peut aussi colorer la voix ? Trop de frites, trop de hot dogs peut-il engendrer ces intonations bizarres qui sortaient de sa bouche lorsqu'il a répété sa question ?

« J't'ai demandé c'que tu faisais le nez sur le mur ! »

Je me suis tourné vers l'espèce d'entrée de cave. La porte était toujours là.

« Le nez sur le mur ?

— Oui, j'ai commencé par penser que t'osais pisser sur la devanture du Monument-National, ce qui aurait été un crime sans nom, mais tes deux mains étaient posées sur le mur... Es-tu malade ?

— Malade ? Non, chuis pas malade...

— Ben, qu'est-ce que tu fais avec le nez sur le mur, d'abord ? »

Il ne voyait pas la porte !

La porte n'existait que pour moi !

Une invitation m'était donc lancée à moi tout seul. Si j'avais mis le pied dans le corridor, tout à l'heure, je serais disparu dans le mur et mon soûlon aurait sans doute mis cette vision sur le compte de la boisson...

« J'pensais que j'avais vu... euh... une grosse chenille... blanche... mais non. »

Je m'étais mis à suer, un nœud s'était formé dans ma gorge, mes jambes avaient faibli.

« Un homme de ton âge qui chasse les chenilles ! T'as rien de mieux à faire ? Les chenilles, c'est bon pour les ti-culs de dix ans, voyons donc ! »

Il s'est éloigné après avoir haussé les épaules.

« Une chenille ! Chus sûr qu'y se préparait à pisser pis qu'y veut pas me le dire... »

Il a semblé se raviser, puis est revenu vers moi...

« Si on est pour se côtoyer, aussi ben se présenter... T'es nouveau dans le bout, on va peut-être être obligés de se fréquenter... »

Il a tendu une main jaunie par la fumée de cigarette et noircie de crasse :

« J'm'appelle Maurice... J'ai déjà été quelqu'un, ici, sur la *Main*, quelqu'un de ben important, de ben respecté… Mais disons que depuis quequ'temps, mon étoile a un peu pâli et que je me suis laissé aller… Mais je perds pas confiance, ma chance va revenir, je le sais… pis la *Main* va réapprendre à me respecter. »

J'ai serré sa main en me présentant.

« Enchanté, François, à la prochaine chicane… »

Il est reparti en titubant.

Je n'osais plus me retourner. Et si la porte avait disparu pendant notre courte conversation ? Si j'avais rêvé tout ça ? Si c'était moi qui avais des hallucinations d'alcoolique même si je bois peu ? *Si tout ce temps-là mes docteurs avaient eu raison ?*

Mais le vent-coulis dans mon dos me suggérait que la porte était toujours ouverte derrière moi, que je n'avais qu'à me retourner pour retrouver les murs de briques, le sol de terre mouillée et les centaines de rats cachés qui n'attendaient que moi pour bruncher à leur tour. Un être humain est-il saturé de gras empoisonnés ? Allais-je représenter pour eux l'équivalent de la frite que je venais d'engouffrer ? Risqueraient-ils de mourir d'une crise cardiaque pour avoir dévoré du François Laplante cru ?

Et si tout ça n'avait été qu'une illusion, un tour que m'avait joué ma tête pas toujours équilibrée ? Ce ne serait pas la première fois…

J'avais pourtant pris mes médicaments en me levant. C'est donc en souriant à la pensée de la désolation que je pouvais déclencher chez les rats et convaincu que j'allais en fin de compte me retrouver devant le mur du Monument-National que je me suis retourné une fois de plus.

La porte était toujours ouverte, le trou dans le mur toujours aussi sinistre mais, je dois l'avouer, tout de même, et de bizarre façon, invitant. Pas la peine de réfléchir, je savais qu'il fallait que j'y aille, que c'était là mon destin, qu'il était inutile de résister. Je me suis revu, il y avait si longtemps, avec l'œuf de verre que j'avais placé entre la pleine lune et mes yeux… J'ai pensé aux horreurs qui m'attendaient à ce moment-là dans la Cité, aux êtres monstrueux qui l'habitaient, aux guerres internes pour garder le pouvoir, ma vie sans cesse menacée. Si j'avais su, alors, ce qui se cachait dans l'œuf, l'aurais-je rejeté au loin, aurais-je tourné le dos à l'aventure extraordinaire qui se présentait à moi ? Je suppose que non. Personne ne peut résister à l'incroyable quand il se présente. La curiosité est trop forte. Plus que la peur de mourir.

D'ailleurs, je n'avais pas du tout peur de mourir devant le corridor pratiqué pour moi tout seul, semblait-il, entre le Monument-National et l'immeuble qui le jouxtait. Au contraire, la pensée de vivre de nouveau, enfin, quelque chose de différent de ce dont ma vie était faite depuis si longtemps m'excitait au plus haut point. Je ne trouvais plus du tout l'idée du Lapin blanc absurde, j'espérais même le voir me dépasser en me criant, essoufflé et rougeaud – si les lapins peuvent rougir –, de me dépêcher, sinon nous allions nous mettre en retard…

J'ai fait quelques pas prudents dans le corridor. Le plafond était bas, peut-être deux mètres, je me sentais obligé de marcher courbé même si ma tête ne l'atteignait pas. Des toiles d'araignées effleuraient mon visage. Plus j'avançais, plus l'odeur de pourriture s'accentuait. Comme si je me dirigeais vers un charnier. J'ai bouché mon nez avec ma main droite, puis j'ai décidé d'assumer tout ce qui m'attendait, les senteurs autant que les impressions ou les événements, et l'ai retirée tout en me disant, toutefois, que ça ne m'en prendrait pas beaucoup plus pour vomir. Au bout d'une cinquantaine de pas, alors que les exhalaisons fétides devenaient insupportables, je me butai à un mur de briques pareil à ceux que je venais de longer. Le corridor, semblait-il, s'arrêtait là. Le temps d'avoir peur que ce soit un piège et que tout se referme sur moi, que je me retrouve en quelque sorte enterré vivant dans un tunnel qui n'existait que pour moi et où personne, jamais, ne pourrait me retrouver – mon seul témoin possible, Maurice-le-soûlon, n'avait même pas vu la porte dans le mur qui m'avait avalé ! – et j'ai aperçu, en me retournant pour vérifier si je voyais toujours la rue Saint-Laurent, une autre porte pratiquée dans le mur de gauche, donc celui du Monument-National.

C'est par là qu'il fallait que je me dirige, je n'avais pas le choix. Ou, plutôt, si : je pouvais encore prendre mes jambes à mon cou, comme on dit dans les romans français, sortir de là à toute vitesse et m'arranger pour oublier ce qui venait de se passer. Mais je savais que je n'y arriverais pas et que je m'en voudrais d'avoir laissé passer cette chance – ou cette infortune – sans creuser plus loin.

Lorsque j'ai poussé la porte, l'effluve de mort a été si fort que je me suis plié en deux. Jamais je ne m'habituerai à ça, me suis-je dit, c'est pire que la moins bien entretenue des morgues… Un escalier de bois, vieux, sans doute branlant et peu solide, descendait vers ce qui devait être la cave de la salle de spectacles. M'enfoncer dans un sous-sol noir et humide après m'être aventuré jusqu'au fond d'un trou ? Mon courage m'a lâché d'un seul coup et j'étais sur le point de détaler sans demander mon reste – autre cliché littéraire qui me fait rire quand je le rencontre – lorsque j'ai entendu, venant de la cave, des bruits de verres qui s'entrechoquent et des rires un peu forcés. On trinquait en faisant semblant de s'amuser au fond de ce trou infect ? Une mise en scène pour m'attirer dans un piège ? Ou bien avais-je surpris de vrais fantômes pendant une séance bien arrosée ?

La partie de moi qui croyait encore aux fantômes – après tout, j'avais un jour traversé une ville complète remplie de monstres hideux et méchants, du moins en étais-je convaincu – me suggérait de tourner le dos à tout ça, de retourner sur le trottoir de la *Main*, vers la liberté, là où ça ne sentait pas la mort mais la pollution normale des villes et les frites du Montreal Pool Room, mais mon côté rationnel, cette curiosité que j'ai de vouloir toujours tout comprendre et tout expliquer, m'amenait à penser que cette aventure avait une raison d'être et que je devais aller jusqu'au fond des choses. C'était tout de même curieux : j'étais poussé par mon côté cartésien à m'enfoncer encore plus avant dans une aventure absurde !

Je commençais à mieux voir ce qui se trouvait au pied de l'escalier de bois. Oui, c'était bien une cave, semblait-il, une simple cave dallée de pierres inégales, mais le son des verres qui s'entrechoquaient et des rires faux continuait et je me surpris à descendre les premières vieilles marches couvertes de poussière.

Ou bien ça puait moins la mort, ou bien mon odorat commençait à s'habituer, toujours est-il que je ne sentais plus le besoin de me boucher le nez. Les marches craquaient sous mon poids et je me dis qu'il ne manquait plus que de me retrouver au fond d'un trou, angoissé, blessé, sans moyen ni espoir d'en ressortir. Je m'imaginais, l'escalier s'étant écroulé sous moi, étendu sur les dalles de pierre, incapable de bouger et de respirer, un ou deux membres amochés, avec les rires qui se faisaient plus insistants, des bruits de pas qui se rapprochaient... J'arrivai cependant au pied de l'escalier sans encombre et jetai un regard circulaire sur ce qui m'entourait.

Tout était plongé dans l'obscurité sauf une porte ouverte, à cinq ou six mètres de moi, où une lumière jaunâtre et huileuse éclairait ce qui m'a semblé à première vue être un tableau accroché à un mur, tant tout ce qu'il contenait, y compris les personnages, était immobile. Vu de loin, comme ça, on aurait dit un Toulouse-Lautrec. Une scène de taverne, ou de bar, baignait dans une lumière ambrée qui conférait aux protagonistes et aux meubles qu'il contenait un côté flou et mystérieux. Des sons parvenaient jusqu'à moi, des voix, des rires, des bruits de chaises qu'on bouscule, mais tout dans le tableau, la femme d'un certain âge qui regardait avec convoitise le verre posé au milieu de la table, le jeune homme avachi devant une grosse bouteille de bière – je ne savais pas qu'elles existaient encore, mais peut-être était-ce un tableau d'époque, les années cinquante, ou quelque chose comme ça –, restait comme pétrifié au milieu d'un geste. Posaient-ils ou s'étaient-ils retrouvés malgré eux prisonniers d'une image qui les dépeignait dans une activité familière, œuvre d'un artiste fou qui les avait fixés à tout jamais, eux, leur corps, leur âme, sur un canevas grandeur nature ? J'ai pensé à la télévision par satellite lorsqu'elle arrête sur une image, pendant un orage, alors que le son, lui, continue. Y avait-il un contrôle à distance, quelque part, qui me permettrait de libérer ces pauvres hères de leur engourdissement ? Sinon, cette paralysie était-elle permanente ? Et depuis combien de temps restaient-ils là à contempler leur consommation sans jamais pouvoir s'en saisir pour se désaltérer ?

Je me suis retourné. L'escalier était toujours là et en haut se trouvait la liberté que je pouvais retrouver en quelques enjambées si je le voulais. Le corridor, le trou dans le mur, la rue Saint-Laurent, l'odeur de graillon du Montreal Pool Room. La vie, quoi. La vraie. Pas cette espèce de rechute dans un passé que je croyais depuis longtemps oublié et, surtout, réglé à force de volonté et de médicaments tous plus pernicieux les uns que les autres.

Mais la curiosité, c'est hélas toujours le cas chez moi, l'a emporté et j'ai tourné une fois de plus le dos à la liberté.

J'ai franchi en quelques pas l'espace qui me séparait de la porte – je me trouvais donc maintenant sous le théâtre, peut-être même sous la scène – et aussitôt que j'eus pénétré dans ce que j'appellerais désormais la taverne, le tableau s'anima d'un seul coup comme si ma seule présence dans ce lieu improbable, mon arrivée, plutôt, avait servi de télécommande et déclenché l'action. Et l'odeur de pourriture disparut d'un seul coup.

La femme attablée devant moi m'a aussitôt aperçu et est partie d'un grand rire hystérique qui me fit frissonner. Elle s'est ensuite jetée sur son verre et l'a vidé d'un seul trait avant d'esquisser une grimace d'appréciation.

« Hé, que ça fait du bien ! J'avais la gorge comme du papier sablé numéro 10 ! En veux-tu ? »

Elle s'était adressée à moi, elle me tendait même son verre qu'elle venait de remplir à mon intention. Deux vieux complices qui se retrouvent et qui continuent une conversation interrompue la veille ou vingt ans plus tôt. Je ne la connaissais pas, je ne l'avais jamais vue, mais elle me donnait l'impression que nous avions à un moment ou un autre de notre vie été plus que des amis, des intimes. Mais n'est-ce pas là l'apanage des piliers de tavernes qui deviennent familiers aussitôt qu'on les rencontre et qui vous suggèrent, par leurs agissements et leurs paroles, qu'ils sont prêts à tout pour vous alors que ce qu'ils veulent, au fond, n'est qu'une consommation gratuite de plus ? Mais cette femme-là m'offrait un verre, elle ne m'en quêtait pas un ! Si je le prenais, si je le portais à ma bouche, ce qu'il contenait goûterait-il la peinture à l'huile, le Varsol, la térébenthine ? Quel goût peut avoir un verre d'alcool peint qui fait partie d'un tableau imitant le style de Toulouse-Lautrec ?

« Non, merci. Je viens d'en boire un… en haut.

— En haut ! T'arrives d'en haut ! T'as été capable d'y aller ! Pis de revenir ! »

Je m'étais déjà piégé avec une seule phrase et je n'ai rien trouvé à répondre.

« Tu dis n'importe quoi pour te rendre intéressant. Personne, dans le musée, peut revenir d'en haut… En haut, c'est l'avenir, la vie qui continue. Pis regarde dans quelle sorte de présent on est pognés, nous autres ! On est pognés dans un présent où tout ce qui compte, c'est le passé. On est des témoins de notre passé, rien d'autre. Toute la gang. »

J'avais eu le temps de regarder autour de moi pendant qu'elle parlait. Une vingtaine de personnes étaient attablées, toutes seules, toutes concentrées sur leur boisson. Plus de femmes que d'hommes. Plus de vieux que de jeunes. Derrière son comptoir, un inquiétant barman faisait semblant de laver des verres, mais je sentais qu'il me guettait du coin de l'œil.

La femme continuait son monologue.

« Si t'arrives d'en haut, c'est que t'es un nouveau. Ben, 'coudonc, welcome dans notre petite famille, kid ! Choisis-toi une table pis commence ton beau pèlerinage dans tes pensées profondes en attendant que quelqu'un vienne te demander de te conter ton histoire… À moins que… »

Elle s'est levée tout d'un coup de sa chaise, a tendu la main droite qu'elle a posée sur mon cœur. Quelque chose de nouveau venait de s'allumer dans ses yeux qui ressemblait à de l'espoir, mais un espoir fou, inespéré. Sa main s'est refermée sur le col de ma chemise qu'elle malmenait comme si elle avait voulu me l'arracher.

« À moins que tu sois venu pour moi ? Pour m'écouter ? Es-tu venu pour m'écouter, kid ? Quelqu'un est-tu enfin venu pour m'écouter ? »

Qu'est-ce que je pouvais répondre d'autre que oui ? Je ne m'étais pas rendu jusque-là pour l'écouter, mais je n'étais pas non plus venu pour être considéré comme un nouveau personnage du tableau et me retrouver attablé devant une bouteille de bière pour l'éternité.

Ma réponse positive a semblé la secouer autant que la ravir. Elle est restée de longues secondes sans pouvoir dire quoi que ce soit, puis elle m'a montré la chaise en face de la sienne. Elle s'est ensuite tournée vers les autres qui nous observaient, l'air étonné et une pointe de jalousie dans le regard.

Et elle a dit, sur un ton supérieur et en renversant la tête par en arrière, comme une actrice de cinéma qui a une bonne réplique à livrer et qui veut en tirer le plus grand effet possible :

« Vous m'excuserez, tout le monde, mais quelqu'un est descendu d'en haut pour moi… Continuez à boire, continuez à espérer, ça vous arrivera peut-être un jour à vous autres aussi ! »

Et elle s'est lancée dans son récit, comme ça, sans savoir si ça m'intéressait de l'entendre, sans doute convaincue que j'avais su depuis le début pourquoi j'étais là et que je m'en trouvais aussi excité qu'elle. En fait, je ressentais quelque chose qui se situait entre l'excitation et l'inquiétude : je voulais bien qu'elle me raconte son histoire – pourquoi pas si j'avais été appelé à cet endroit pour cette raison –, mais est-ce que ça voulait dire que j'acceptais d'emblée de devenir un confident officiel, que je me condamnais à rester un perpétuel « écouteur », figé moi aussi dans le temps et dans l'espace, une silhouette de plus sur la toile aux couleurs burinées cachée dans le fin fond de la cave du Monument-National ? Avec des traits empruntés à Toulouse-Lautrec ? (Il a pourtant dessiné très peu d'hommes, sinon des observateurs du cancan en queue de pie, d'énormes bonshommes guillerets et fêtards moins intéressants que ses femmes charnues et sensuelles… Ou des danseurs malingres et déhanchés. Je n'ai pas pu m'empêcher de sourire au souvenir de Valentin-le-désossé, qui avait ravi mon adolescence avec son menton en galoche et ses pieds pointés comme ceux d'une danseuse.)

Puis j'ai reporté mon attention sur la femme tout émoustillée qui me parlait.

« Tu m'écoutais pas, hein, kid ?

— Non, en effet, excusez-moi…

— Tu peux me dire tu, tu sais… Pis laisse-moi continuer de t'appeler kid. J'appelle tout le monde kid. Les vieux comme les jeunes. Parce que même les vieux, ici, sont mes kids. Enfin, tout comme. Si je te disais l'âge que j'ai… Mais laissons faire ça… Laisse-moi recommencer depuis le début…

Pis écoute-moi, cette fois-là ! T'es là pour ça, non ? »

Elle a commencé par me dire qu'elle s'appelait Gloria et que son histoire était en même temps très triste et très drôle...

II

L'HISTOIRE DE GLORIA, LA SI PEU GLORIEUSE

« Je m'appelle Gloria. Gloria tout court. Avant… Ah, y a très longtemps de ça, dans un autre monde, je pourrais dire, je m'appelais Gloria Star. J'aimais ça. C'tait un beau nom pour une chanteuse. Mais y en avait une autre… Une autre Gloria Star. Moi, je le savais pas, est-tait plus vieille que moi et ça faisait un bout de temps qu'elle existait quand j'ai pris son nom sans le savoir… C'tait pas une chanteuse, elle… c'tait une stripteaseuse… C'est pour ça que je connaissais pas son existence. Ça fait que j'ai été obligée de changer. C'est moi qui ai été obligée de changer de nom parce que j'étais arrivée après, que deux Gloria Star c'était trop pour la *Main* et, surtout, que j'avais pas envie de me retrouver avec les deux jambes cassées. Ou au fond d'une poubelle derrière le Coconut Inn. Les gros bras faisaient la loi, dans ce temps-là, et si on te demandait de changer ton nom, tu changeais ton nom sans poser de questions. C'était l'époque des Cotroni. Maurice avait pas encore fait son apparition dans le quartier. R'marque que ça aurait rien changé. Maurice était pas plus parlable que les Cotroni. Ça fait que j'me suis retrouvée Gloria tout court. Parce que je trouvais rien d'autre d'aussi beau que Gloria Star… Ça, j'te parle, là, c'tait dans les années cinquante… au début des années cinquante… les belles années pour le monde comme nous autres. Le temps de la musique qui venait du sud et qui te donnait envie de danser même si t'avais pas de rythme, le temps des drinks à trois étages qui te mettaient des envies de chaleur dans la tête en plein mois de janvier, le temps des vibraphones et des maracas. Le temps des paradis artificiels qui te tuaient pas mais qui se contentaient de te faire rêver. En couleur. En Cinémascope. En stéréophonie.

Excuse-moi, kid, je le sais que je parle pas trop clairement, mais ça fait tellement longtemps que j'ai pas parlé que ça sort tout croche… Tout veut sortir en même temps, j'en ai trop à dire, j'ai pourtant eu le temps de mettre de l'ordre dans mes idées…

Connais-tu Miami, kid ? Miami Beach ? As-tu déjà connu la chaleur, la moiteur de Miami Beach au printemps ? J'te demande ça parce que c'est important pour la suite de mon histoire. Pour le cœur de mon histoire. L'autre Gloria Star, là, Montréal, la *Main*, tout ça a pas d'importance, en fin de compte, pour ce que j'ai à te conter. Non, le cœur de tout ça, l'âme, c'est Miami Beach au printemps, le jasmin qui pue quasiment tellement y sent fort, les magnolias qui font monter les larmes aux yeux, les gardénias qui te font sentir belle et désirable… et la musique sud-américaine sous les palmiers qui cachent à peine la pleine lune et qui te brasse les intérieurs comme si t'étais toi-même un instrument de musique. T'es-tu déjà senti comme un instrument de musique, kid, comme si tu faisais partie d'une musique inventée pour faire danser ?

Non, t'es le genre sédentaire, toi, hein ? Le genre à pas participer, à se contenter de regarder les autres avoir du fun… C'est peut-être pour ça qu'on t'a envoyé ici. Pour que tu m'écoutes. Parce que c'est ça que tu fais le mieux. J'espère que tu vas quand même être capable de comprendre ce que j'ai à te conter…

Parce que ce que j'ai à te conter, kid, c'est une histoire de passion, d'ambition, qui, malheureusement, se termine ici, au musée du Monument-National, dans une cave sans lumière et sans espoir. L'histoire d'une gaffe sans rémission, d'une erreur définitive, du manque de jugement d'une pauvre petite folle avec trop d'appétit de pouvoir, qui se pensait irrésistible, toute-puissante en raison de sa jeunesse, de sa beauté, de son talent, et qui s'est vite retrouvée le bec à l'eau et la pleine lune noyée au fond d'un verre de bière parce qu'elle avait même plus les moyens de se payer un Manhattan ou un Singapore Sling. Comment ça s'appelle, déjà ? Ah oui… Un revers de fortune. Chuis victime d'un revers de fortune, kid, et le pire, c'est que j'ai couru après. On pourrait dire que j'ai été ma propre victime par manque de jugement.

J'vas trop vite, hein ? Ce que je dis veut rien dire pour toi… Essaye d'avoir un peu de patience, ça s'en vient, j'vas prendre une gorgée de mon drink et tout va bien aller… Quand j'ai le sifflet bien mouillé, je deviens plus articulée, pas moins bavarde, non, mais plus articulée, tu vas voir, tu vas comprendre… J'espère que tu vas comprendre parce que si tu comprends pas, je sais pas si j'vas avoir le courage d'en attendre un autre comme toi pour y confier tout ça… J'ai déjà trop attendu, j'ai bien peur que tu sois ma dernière chance… et y faudrait que ce soit la bonne. Pour que je retrouve enfin la paix. Sais-tu que c'est ça que je recherche, la paix ? L'absolution et la paix, oui, c'est ça. C'est ça que je cherche. C'est ça que tu peux m'apporter. Aie pas peur, j'te prends pas pour un curé, c'est pas ce genre d'absolution là que je veux. C'est plus… je sais pas… un pardon. Profond. Un pardon plus qu'un pardon. Avec… c'est ça, une absolution. Y a pas d'autre mot. Non, c'est pas vrai, y en a, d'autres mots : un acquittement. Parce que chuis coupable. Une rémission. Parce que je regrette. J'aimerais être en rémission. Que tu me dises que chuis en rémission. Que tu me donnes d'un côté l'absolution d'un curé et de l'autre la rémission d'un docteur.

Mais avant, y faudrait que je te conte ce qui s'est passé, hein ? Y a pas de pardon sans confession… Bois, kid, bois, installe-toi bien sur ta chaise, arrête de me regarder sans rien faire, ça peut être long... Si t'es venu jusqu'ici, c'est que t'as de la patience, mais, comme on dit, la patience a ses limites et je voudrais pas te perdre...

Connais-tu Xavier Cugat, kid ? T'en rappelles-tu ? Étais-tu trop jeune dans les années cinquante pour te souvenir de lui ? Laisse-moi t'expliquer ou te rappeler : Xavier Cugat dirigeait dans les années cinquante le meilleur orchestre latino-américain du monde. C'était de la musique qui pétait de santé, qui t'entraînait dans des rêveries d'humidité et de couleurs folles même si t'essayais de lui résister, c'était de la musique qui te mettait du pep dans le soulier et des intentions louches dans le bas-ventre. C'était la musique qui avait lancé Alys Robi et qui faisait rêver la petite Gloria Star avant même qu'on y enlève son deuxième nom... Y faut que je te dise aussi que j'étais belle comme c'était pas possible dans ce temps-là, avec un body à faire damner, des cheveux vicieux à force d'être souples et une bouche vorace en quête d'hommes de toutes les sortes et de toutes les couleurs. Une nymphomane fière de l'être et jamais rassasiée ! Tout ça pour te dire que la musique de Xavier Cugat me rendait folle et qu'après qu'on m'a enlevé mon deuxième nom et devant le vide de ce qui m'attendait sur la *Main* si j'y restais – toujours le même public, toujours les mêmes hommes –, j'ai décidé d'aller me jeter aux pieds de mon idole, en Floride, après avoir sorti de la banque le petit motton que j'avais réussi à ramasser en quelques années. C'était fou, c'était ridicule, ça pouvait pas marcher, je le savais, mais j'avais une tête de cochon qui m'avait toujours servi et j'ai décidé de l'écouter une fois de plus. Si le succès international avait souri à Alys, pourquoi pas à moi ? J'étais aussi belle, aussi talentueuse, aussi avide qu'elle d'argent et de célébrité, y fallait à tout prix que je quitte Montréal si je voulais pas pourrir au fond du *redlight* comme tant de talents, en sacrant contre mon sort et en noyant ma désillusion et mon amertume dans la boisson qui rend folles toutes les chanteuses qui ont rien d'autre pour se consoler. Je me disais que j'en avais trop connu pour que ça me fasse pas peur et qu'y fallait à tout prix que j'évite ce danger-là… L'alcool avait été trop présent dans ma famille, je l'avais probablement dans le sang autant que la musique sud-américaine… Entre deux vices – les dangers de la boisson, la magie de la musique –, j'ai choisi le deuxième en pensant sauver mon âme. Et trouver la liberté.

Mais pour moi, si peu riche, quitter Montréal pour la Floride ça voulait dire faire quasiment une semaine en autobus pas climatisé avec des étrangers dont je parlais à peine la langue et des repas infects pris sur le pouce pendant les arrêts le long d'autoroutes en construction. Et j'ai traversé tous les États-Unis, du nord au sud, le cœur léger, sûre de mon succès à venir, le sourire aux lèvres !

Ma chance m'a porté malheur. C'est ce que j'ai toujours dit et je le penserai jusqu'à la fin de mes jours. J'ai eu la chance d'arriver à Miami Beach – ah ! kid, la sueur dans ton cou, dans ton dos, l'odeur d'iode qui monte de la mer, les couleurs des bougainvilliers –, donc, j'ai eu la chance d'arriver à Miami Beach dans une période pénible de la vie de Xavier Cugat et j'ai eu le malheur d'arriver juste à temps. Et c'est ce qui m'a perdue. Si je m'étais présentée six mois avant ou six mois après, y m'aurait même pas rencontrée, je serais revenue à Montréal la queue entre les jambes continuer ma petite carrière locale et déprimante, mais chuis arrivée juste à la fin du règne d'Abbe Lane, sa femme de l'époque, une statue grecque aux cheveux blonds qui vous interprétait le répertoire sud-américain comme pas une, et longtemps avant celui de Charo, la koutchi-koutchi girl, tu te rappelles d'elle, de son insignifiance, de sa vulgarité ? Elle pointait déjà son nez, mais elle était pas encore installée.

Me vois-tu venir, kid ? Ben oui, c'est ça. J'ai essayé de me glisser, de m'insérer entre Abbe

Lane qui venait de partir et Charo dont personne connaissait encore l'existence : l'orchestre de Xavier Cugat avait besoin d'une chanteuse et une petite dinde *from Montreal, Canada*, s'est présentée avec ses déhanchements à faire damner et le répertoire complet déjà su par cœur et prêt à servir aux riches clients des grands hôtels sans presque de répétitions, tant la petite dinde en question était déterminée et, oui, oui, y faut le dire, talentueuse !

On m'a traitée de menteuse après mon retour ici, après ma gaffe, surtout le maudit Tooth-Pick, l'assistant, l'âme damnée de Maurice, le grand caïd de l'époque, et sa gang de langues sales –, on a dit que j'avais tout inventé pour cacher la misère dans laquelle j'avais vécu à Miami et les trop nombreux refus que j'avais essuyés. Mais c'était faux. C'est-à-dire que ce que je contais, moi, était vrai et que ce que disaient ceux qui me calomniaient était faux… Chuis pas claire, je le sais que chuis pas claire, et pourtant je voudrais tellement l'être ! J'aimerais que tu me croies sans même savoir si c'est important que tu me croies ! Est-ce qu'y faut croire la confession pour pardonner ? Vas-tu me refuser ma rémission si tu me crois pas ? T'as l'air d'un homme bon, kid, fais pas comme les autres, comme ceux qui ont sali ma réputation et qui m'ont traînée dans la boue au lieu de me consoler d'avoir raté la grande chance de ma vie avant de m'assassiner bêtement ! Crois-moi ! Ou fais-toi croire que tu me crois !

C'est ici que mon histoire commence à être intéressante… et, oui, c'est vrai, particulièrement invraisemblable.

Chus arrivée jusqu'à Xavier Cugat à cause de son chihuahua et je me suis perdue à cause de son chihuahua.

Si tu t'en souviens bien, Xavier Cugat se déplaçait jamais sans son chihuahua. C'était son *trademark*, non seulement y le traînait partout, mais y le mettait dans sa poche de veste pendant qu'y dirigeait son orchestre. Y se tournait vers le public au milieu d'un morceau, le petit chien étirait sa tête aux yeux globuleux et tout le monde trouvait ça merveilleux ! Xavier Cugat le prenait dans sa main, le faisait saluer... Le pauvre petit chien, lui, on aurait dit qu'y tremblait de peur quand le public l'applaudissait trop fort... Mais les chihuahuas ont toujours l'air d'avoir peur... C'est des chiens qui tremblent tout le temps... Y paraît qu'y sont ben fragiles, qu'y faut en prendre soin comme si c'était des petits bébés...

En arrivant à Miami, j'avais vu dans un journal qu'on organisait des auditions dans un des grands hôtels de la ville pour trouver une remplaçante à Abbe Lane. Tu parles d'une coïncidence, toi ! Moi qui étais là justement pour me sacrer aux pieds du célèbre chef d'orchestre ! Mais je m'étais dit que ça devait juste être un *stunt* publicitaire, que la chanteuse devait déjà être trouvée, que Xavier Cugat se jetterait sûrement pas sur la première venue pour la remplacer, qu'y devait y avoir des milliers de filles qui pensaient la même chose que moi, que monsieur Cugat se contenterait de se faire photographier avec les candidates avant de disparaître à tout jamais sans même nous regarder de proche ! Mais j'ai décidé de me présenter malgré tout. Je savais ce répertoire-là comme le fond de ma poche – c'était *mon* répertoire – et je voulais essayer d'attirer l'attention de Xavier Cugat, si la chose était possible, avant qu'Alys Robi entende parler des auditions et se garroche à Miami comme la misère sur le pauvre monde. J'la voyais déjà débarquer du bombardier Canadair de la dernière guerre avec son armée de valises, son agressivité légendaire... Est-tait déjà connue, elle aurait plus de chances que moi... mais moi j'étais déjà sur place ! Et, en plus, je dirais à Xavier Cugat que j'y coûterais pas cher... Comme si y avait eu l'intention de payer une petite nouvelle, une parfaite inconnue, le même prix que la grande Abbe Lane ! J'étais naïve, c'est ça qui explique mon front de beu, je suppose...

Je vois dans tes yeux, kid, que j'avais raison, tout à l'heure… tu me crois pas… Si t'es pour me faire cet air-là pendant tout le temps que j'vas te conter mon histoire, t'es t'aussi bien de t'en retourner d'où tu viens… J'en ai trop vu, des froncements de sourcils et des haussements d'épaules, quand chuis revenue ici, j'ai besoin de quelqu'un qui va m'écouter jusqu'au bout sans me juger, sans penser que j'ai tout inventé. J'te jure une fois de plus que j'ai rien inventé et que tout s'est passé comme je te le conte ! Exactement ? Peut-être pas. Peut-être qu'y a des bouts que j'interprète un peu, c'est vrai, ça fait tellement longtemps, mais pas assez, j'ai pas assez changé de choses pour que ce soit important… juste pour que ce soit intéressant. Les faits sont vrais, c'est ma façon de les conter qui est peut-être un peu exagérée. Y faut ben que je retienne ton attention, non, sinon tu vas repartir d'où tu viens et j'vas encore me retrouver toute seule devant mon verre !

En tout cas… Si tu me crois pas, au moins écoute-moi jusqu'au bout sans faire des grimaces de doute.

Toujours est-il que je me doutais que je serais pas toute seule à ces auditions-là, tu comprends bien, et je me suis mise à chercher une façon d'attirer l'attention de Xavier Cugat. Ou de ceux qui le remplaceraient pendant les auditions. Y fallait que j'aie quequ'chose de différent des autres filles, en plus de mon talent de chanteuse, et je trouvais pas quoi…

En fait, ma peur, ma grande peur, était que Xavier Cugat soit même pas présent aux auditions, qu'y laisse ça à quelqu'un d'autre, un assistant ou quequ'chose du genre, tu sais comment y sont, ces gens-là, y laissent tout décider par leurs assistants… en tout cas, c'est ce que je pensais et je me voyais, là, passer une audition devant quelqu'un qui était même pas Xavier Cugat lui-même en personne… avant de me retrouver à la porte du cabaret de l'hôtel avec rien devant moi, juste la plage et l'océan. Et mes prétentions noyées à tout jamais.

La veille de l'audition, après avoir déniché dans une boutique pour stripteaseuses une robe hors de prix mais qui m'allait comme une deuxième peau, j'ai eu une idée en passant devant un petshop de l'avenue Collins. L'idée la plus stupide, la plus niaiseuse, tu vas voir, t'en reviendras pas, mais c'est souvent les meilleures... On se dit j'vas pas faire ça, ça va paraître que c'est juste de la frime, personne peut tomber dans ce piège-là, et pourtant le miracle se produit...

Le flop, dans mon cas, mais en tout cas...

Toujours est-il que m'est venue l'idée d'acheter un chihuahua exactement pareil comme celui de Xavier Cugat pour me présenter à l'audition ! Tu vois, genre la fille tellement folle de son idole qu'est même allée jusqu'à s'acheter un chien pareil au sien ! Même sorte, même grosseur, même couleur et tout ! Le sosie parfait du chien de Xavier Cugat ! Laid à faire peur et tremblant sur ses pattes encore plus que celui du chef d'orchestre, j'pense... J'ai même eu le front de l'appeler Xavier !

J'avais jamais eu de chien, je savais pas quoi faire avec un chien et sa première journée avec moi a dû être un enfer pour lui, pauvre animal ! En tout cas, laisse-moi te dire que la mienne l'a été : amène le chien promener, nourris le chien, fais des risettes au chien pour qu'au moins y te reconnaisse, parce qu'y faut que le monde pense que tu l'as depuis un bout de temps et qu'y t'adore, répète son maudit nom deux mille fois pour qu'y sache que c'est à lui que tu parles – y s'appelait Fernando quand je l'ai acheté et y avait à peine vingt-quatre heures pour se faire à l'idée qu'y s'appelait maintenant Xavier ! –, essaye d'habituer le chien à rester enfermé dans un sac à main quasiment aussi petit qu'un réticule sans qu'y se mette à hurler de peur ou à japper comme si on l'assassinait... j'me suis couchée épuisée, le chien effouerré sur l'oreiller avec le museau dans mon oreille !

As-tu déjà essayé de dormir avec le museau d'un chien dans l'oreille, kid ? Non, tu dois être le genre à avoir un chat, toi, trop paresseux pour sortir trois fois par jour promener ton chien… Excuse-moi, je viens de te demander de pas me juger et c'est moi qui te juge ! C'est typique. On est tous pareils ! Fais ce que je dis, fais pas ce que je fais… Et après tout, peut-être que si t'as un chat, ça y arrive lui aussi de s'endormir avec le museau dans ton oreille… Mais revenons-en à mon histoire…

Crois-le, crois-le pas, j'ai eu le front de me présenter à l'audition le lendemain matin habillée comme si j'allais donner un spectacle le soir même, avec en plus un chihuahua caché dans ma sacoche ! C'est-tu assez fort pour toi ? Pendant que j'attendais en ligne – y avait moins de filles que je pensais mais y en avait quand même pas mal –, j'avais juste peur que mon maudit chien meure asphyxié et que le punch que j'avais préparé à la fin de mon numéro fasse plus de moi une tueuse d'animal qu'une admiratrice de Xavier Cugat !

Je vois que tu fronces pus les sourcils, que t'es pris par mon histoire… Ça commence à être intéressant, hein ? Même si tu continues à pas y croire, tu veux quand même savoir ce qui va se passer, si la fille va réussir son audition, si elle va avoir la job, si l'ex-Fernando va faire fondre le cœur du gros Xavier avec ses yeux globuleux et ses pattes branlantes !

Mais j'ai une autre question pour toi, kid, avant de continuer mon récit : connais-tu un tango qui s'appelle *Orchids in the Moonlight ?* Non ? T'es sûr ? C'est un tango, ça, là, mon p'tit gars… comment je te dirais ça… C'est de la musique qui se peut pas ! T'écoutes ça, là, et tu te dis que ça se peut pas qu'une si belle musique existe, que t'es pas digne de l'entendre et que celui qui l'a composée, si y est mort, mérite une place de choix au paradis, quequ'part parmi les grands compositeurs que tout le monde admire tant, mais qui ont jamais rien composé d'aussi beau qu'*Orchids in the Moonlight*…

Et c'est ça que j'avais préparé comme numéro pour mon audition. C'est-à-dire que les années que je venais de passer dans les clubs de Montréal m'avaient préparée parce que j'avais pas les moyens, à Miami, de me payer un répétiteur et que j'ai dû me contenter de l'accompagnateur qui nous était fourni pour l'audition.

Au Coconut Inn ou au French Casino, quand la grosse Sophie attaquait les premières mesures d'*Orchids in the Moonlight*, kid, on aurait dit que toute la *Main* se taisait, pas juste le club de nuit. Et c'est pas juste la grosse Sophie et son piano branlant qu'on entendait, mais les *Thousand and one Strings* au complet, ou bien l'orchestre de Mantovani, ou, mieux encore, celui de Xavier Cugat ! Cette musique-là transformait pas juste l'âme de ceux qui m'écoutaient chanter, elle embellissait en plus l'endroit où je chantais ! Moi, je flottais au-dessus de tout ça, je planais sur la *Main*, un ange envoyé du ciel pour soulager la misère des laissés pour compte ! Cette musique-là existait pour laver les âmes et c'est moi qui avais la job de le faire ! Et laisse-moi te dire que je me faisais pas prier : je donnais tout ce que j'avais et ce que j'avais était efficace en pas pour rire !

Mais je me laisse emporter, c'est pas pour parler de ça que chuis là, au fond de mon trou, la gorge sèche parce que chuis pus habituée à tant parler et l'inquiétude au cœur parce que j'ai peur de pas bien exprimer ce qui s'en vient… Ce qui s'en vient, kid, je voudrais le changer, en tout cas en partie… Pas celle où j'ai chanté devant Xavier Cugat, parce que je pense vraiment que j'ai été très bonne, mais ce qui a suivi, la partie avec le maudit chien, le maudit chihuahua, le maudit ex-Fernando, alias Xavier pour son plus grand malheur. Et le mien. Je sais pas ce que je donnerais pour revenir au moment où, à la fin d'*Orchids in the Moonlight* que j'avais chanté comme la pro que j'étais, j'ai plongé la main dans mon sac pour sortir le chihuahua !

Parce que bonne, laisse-moi te dire que je l'avais été ! Même avec un accompagnateur que j'avais jamais vu avant ! Tu comprends, quand j'avais vu que monsieur Cugat en personne était là, installé à une table, entouré d'un nuage épais de fumée de cigare cubain, le chihuahua, pas plus haut qu'un verre de bière, posé sur la table comme un bibelot, le trac m'était tombé dessus, j'avais eu des papillons dans l'estomac et les jambes molles, mais j'avais pris mon courage à deux mains, comme on dit, je m'étais laissé bercer par les premiers accords d'*Orchids in the Moonlight* que le pianiste exécutait en fin de compte très bien. C'était encore plus coulant qu'avec la grosse Sophie, je dirais même… plus cochon. Y était peut-être cubain, y avait peut-être cette musique-là dans le sang depuis qu'y était au monde. Et quand j'ai commencé à chanter, je me suis dit qu'y fallait que monsieur Cugat pense que moi aussi j'avais cette musique-là dans le sang depuis que j'étais au monde. Que j'étais digne d'être une Cubaine.

T'aurais dû entendre ça, kid ! T'aurais dû *voir* ça ! Chuis convaincue que j'étais aussi belle que bonne ! Le déhanchement sous la robe serrée, le blond cendré des cheveux frais faits du matin, les gestes calculés pour que les hommes les prennent pour des promesses et la voix, kid, la voix que j'avais dans ce temps-là ! La puissance d'évocation de cette voix-là : juste assez rauque pour suggérer une vie de débauche, mais pas trop pour pas faire peur ; juste assez sensuelle pour que chaque homme dans l'assistance pense que je chantais pour lui tout seul. Cette fois-là, par exemple, c'était vrai que je chantais pour un seul homme. Je pouvais pas le voir, bien sûr, juste le deviner dans l'obscurité du cabaret, je savais qu'y était là parce que je sentais l'odeur de son cigare, et toutes mes énergies étaient dirigées vers lui. Je savais que je jouais le tout pour le tout et, je sais pas, une impression, une certitude, plutôt, j'ai su dès le milieu du tango que j'avais gagné. Présomptueuse ! Prétentieuse ! Y pouvait pas me résister, j'étais plus qu'irrésistible, j'étais désormais incontournable ! J'étais redevenue Gloria Star ! J'avais reconquis mon étoile !

Quand la chanson a été terminée après une finale particulièrement réussie, y a eu comme un grand silence dans l'établissement. Je sais pas, ça m'a comme désarçonnée : je me serais attendue à des applaudissements, j'avais peut-être même rêvé un court instant d'une *standing ovation* de la part de monsieur Cugat, un peu comme au cinéma quand la fille pas connue se fait découvrir, mais... C'était pas un silence *heavy*, là, non, je sentais pas du tout que c'était la catastrophe, rien de ça, c'était peut-être un silence d'appréciation, y étaient peut-être tous sur le cul, Xavier Cugat le premier, je sais pas, mais c'était un silence quand même et les chanteuses haïssent les silences à la fin de leurs chansons, même d'appréciation, c'est normal, on n'est pas là pour écouter fonctionner l'air climatisé quand on finit de chanter !

Alors c'est là que j'ai pensé à la surprise que j'avais préparée pour mettre monsieur Cugat de mon bord – alors que j'en avais pus besoin –, et c'est là que, sans réfléchir, j'ai plongé la main dans mon sac que j'avais posé par terre et que j'ai sorti l'ex-Fernando comme si ça avait été un trophée ! Je l'ai pris dans ma main, y pesait presque rien, et je l'ai brandi au-dessus de ma tête comme la statue de la Liberté brandit son maudit flambeau.

Pourquoi j'avais préparé ça ? Pourquoi ? Pour montrer à Xavier Cugat que j'aimais moi aussi les chihuahuas ? Pour établir rapidement un lien entre nous ? Pour suggérer que ce serait intéressant que la nouvelle chanteuse ait son propre chihuahua elle aussi ? Mais tout ça était parfaitement ridicule ! Je l'ai réalisé au moment même où je faisais une folle de moi en étirant le bras au-dessus de ma tête avec le motton de poil brun tout tremblant dans la main. Une vraie folle ! Une imbécile de la pire espèce ! La dernière des idiotes !

En plus, les deux chiens se sont haïs aussitôt qu'y se sont aperçus. En moins de deux secondes, un concert de jappements hystériques et de renâclements furieux s'est élevé dans le cabaret et les deux chiens se sont lancés l'un sur l'autre, toutes griffes dehors et les crocs à l'air. Le chien de Xavier Cugat s'est jeté en bas de la table, le mien en bas de la scène, et on a vu deux bombes de poil brun entrer en collision… Ça grognait, ça mordait, ça couinait, ça se battait… Deux hommes ont été obligés de les séparer, et laisse-moi te dire que ça a pas été facile : ces chiens-là ont beau avoir l'air fragiles, y retrouvent vite de l'énergie et de l'agressivité quand y sentent leur territoire menacé. J'ai jamais su si le sang avait coulé parce que j'ai même pas pris la peine de ramasser mon ex-Fernando quand chuis ressortie de là…

Quand les deux animaux ont été enfin séparés et que le concert de jappements s'est un peu calmé, j'ai vu une silhouette massive se lever de la table où était installé monsieur Cugat – je savais que c'était lui et que le jugement allait être prononcé et je sentais dans tout mon corps que tout avait foiré par ma faute – et une voix étonnamment douce s'est élevée dans la semi-obscurité du bar. L'anglais était excellent, mais l'accent venait sans aucun doute du Sud. Le Mexique. Cuba. Peut-être même beaucoup plus au sud. En plus, il riait en parlant :

« Votre prestation était excellente, mademoiselle. Mais j'ai bien peur que nos chiens soient irréconciliables… Next ! »

J'étais sidérée ! Y se servait-tu de mon chien comme excuse pour me dire que j'étais pourrie, pour se débarrasser de moi, pour me repousser dans la coulisse comme si j'avais jamais existé ? Une *nobody* parmi tant d'autres ? Y était-tu trop trou de cul pour me dire franchement ce qu'y pensait de moi ? Mais y pouvait pas penser du mal de moi, y avait pas le droit, j'avais été magnifique ! Mais si j'avais été aussi exceptionnelle que je le pensais, y me semble qu'y se serait pas préoccupé du maudit chien et qu'y m'aurait engagée en exigeant que je le fasse tout simplement disparaître, non ? J'étais-tu vraiment pourrie à ce point-là sans le savoir ? Si tu savais tout ce qui m'est passé par la tête pendant les quelques secondes que ça m'a pris avant de trouver quelque chose à y répondre ! Ma vie au complet s'est déroulée sous mes yeux, comme y disent que ça arrive quand on meurt : le passé autant que l'avenir qui venaient de se mélanger à tout jamais parce que je savais maintenant que mon avenir était désormais exactement et désespérément pareil comme mon passé, que c'était la même chose, que je m'étais moi-même condamnée à retourner à Montréal, à me réfugier dans mon trou, sur la *Main*, et à reprendre ma pathétique carrière de musique de fond pour faire vendre de la boisson ! Et tout ça à cause d'un maudit chien ? Non… Fallait pas tout mettre sur le dos du chien… Mais j'étais bonne, ça se pouvait pas que je sois pas bonne ! Tout le monde me le disait depuis toujours ! Mais le tout le monde en question, y fallait ben que je le réalise une fois pour toutes, c'était quoi, des soûlons, des drogués, des *misfits* en tous genres qui connaissaient rien et qui avaient jamais rien vu ! Et c'est là, sur la scène du cabaret d'un des plus grands hôtels de Miami Beach, que j'ai réalisé que j'étais quelqu'un juste pour une gang de pas bons et d'ignorants qui auraient été incapables de faire la moindre différence entre le génie d'une grande interprète et le petit talent ridicule d'une simple imitatrice. Qui c'est qui venait de chanter *Orchids in the Moonlight* ? L'imitatrice ?

J'étais tellement révoltée que toutes mes inhibitions m'ont quittée d'un seul coup, tous mes complexes, toutes mes peurs : y venait de se débarrasser de moi, ben, y se souviendrait de moi ! Je me suis redressée dans ma robe de satin crème et j'ai lancé à Xavier Cugat dans mon joual le plus fringant :

« Mange donc de la marde, tabarnac de gros verrat ! Tu le sais pas la gaffe que tu fais en m'engageant pas ! Tu vas le regretter, un jour, m'as te le faire regretter personnellement ! R'garde-moé ben aller ! R'garde-moé ben monter ! Un jour, c'est toé qui vas être à mes pieds, gros calvaire d'insignifiant ! »

Évidemment y a rien compris... Je pense même qu'y est parti à rire parce qu'y savait pas trop d'où venait ce drôle d'accent là... Y a dû me prendre pour une Yougoslave... ou une Finlandaise.

Moi, j'ai ramassé mon sac et chuis sortie de là en laissant l'ex-Fernando faire des yeux méchants à l'autre maudit chihuahua.

Et c'est là que la véritable Gloria a fait son apparition !

Comment dire ça... J'avais pas eu une vie facile – aie pas peur, je m'étendrai pas là-dessus, c'est pas assez original –, mais je peux pas dire non plus que j'avais jamais connu la misère. J'avais su très jeune que je voulais chanter, j'avais surtout su où aller pour que ça aille vite – ma famille avait plutôt été heureuse de me voir partir parce que nos rapports, disons, étaient pas des plus harmonieux – et mon ascension dans le *redlight* de Montréal s'était faite avant que j'atteigne mes vingt ans. Je gagnais de la bonne argent, j'avais un appartement qui avait de l'allure, des gars à la pelle, j'aurais même eu des femmes si j'avais voulu, j'étais respectée parce qu'on disait de moi que ça se pouvait bien que j'aie un avenir... Les frères Cotroni venaient régulièrement m'entendre chanter, me laissaient des pourboires royaux, flirtaient avec moi pour la forme, mais c'était quand même flatteur pour une débutante avec de l'ambition... Je régnais sur la *Main* et j'étais en train de devenir quelqu'un ! En tout cas, avant que tout ça commence à m'étouffer et que je décide de partir sur un simple coup de tête pour provoquer le destin.

Mais à Miami Beach, kid, j'étais toute seule comme un rat, pauvre comme la gale, j'avais aucune connexion – les frères Cotroni du bout étaient hors de ma portée –, je connaissais même pas vraiment la langue qui se parlait là et j'étais beaucoup trop orgueilleuse pour revenir m'enterrer aussi vite à Montréal, c'était vraiment trop humiliant, alors, je sais pas comment, j'ai trouvé au fond de moi une source de courage que je savais pas que j'avais, une espèce de sens de la débrouillardise qui doit te venir avec l'urgence de tes besoins, je suppose, et au lieu de m'écraser dans le fond de mon motel en m'apitoyant sur moi-même comme j'aurais normalement dû le faire après ma gaffe, je me suis garrochée aux quatre coins de la ville pour me trouver des jobs de chanteuse… Ben oui, comme n'importe quelle *girl next door* dans n'importe quel film de Doris Day ! Et j'en ai trouvé ! D'abord des petites, des insignifiantes dans des bouges infects fréquentés par ce que la société peut produire de plus pénible et de plus laid, puis, petit à petit, mois après mois, à force d'en donner plus que ce que les boss pouvaient me demander pour essayer de me bâtir une petite réputation de bonne chanteuse et de femme honnête et droite, des orchestres cubains, des vrais, ont entendu parler de moi et je me suis retrouvée un bon soir dans un cabaret qui avait du bon sens avec une robe qui avait du bon sens et un public qui avait du bon sens ! Peux-tu croire ! En moins d'un an ! En moins d'un an, j'étais passée de complète *nobody* sans avenir à demi-*nobody* avec du potentiel !

Et là…

Les nuits que j'ai passées, kid, les nuits complètes jusqu'au lever du soleil, à chanter des affaires que je comprenais pas mais qui me donnaient des frissons, accompagnée de vrais orchestres d'origine qui rendaient la musique la plus sublime du monde encore plus sublime, tu peux pas savoir… J'ai chanté sur des plateformes construites sur la plage devant une pleine lune rouge qui avait l'air fausse tellement elle était belle, j'ai dansé dans les bras de partenaires tapettes comme ça se peut pas dans la vie mais masculins et distingués quand y montaient sur une scène… J'ai piétiné des tapis d'orchidées, on m'a lancée vers le ciel en espérant que je redescende jamais et que je m'envole comme l'ange qu'on pensait que j'étais… Un avenir fabuleux, kid, fabuleux, se dessinait devant moi, rempli de champagne à volonté et de contrats écœurants…

Mais une chose me restait sur le cœur, une épine était restée plantée dans mon pied, un regret amer m'empêchait souvent de dormir. Tu l'as déjà deviné, c'est pas difficile… Ben oui, l'orchestre de Xavier Cugat. Je pouvais pas m'empêcher de me demander quand est-ce que le téléphone sonnerait, que j'entendrais la voix de monsieur Cugat ou celle d'un de ses assistants m'inviter non pas à passer une audition, mais bien à remplacer Abbe Lane elle-même, parce que Xavier Cugat, je me tenais au courant, tu penses bien, avait encore trouvé personne… Oui, j'étais assez folle et assez sûre de moi pour m'attendre à ce que Xavier Cugat m'appelle à son secours ! Ça m'était pas passé avec mon humiliation, j'en étais encore là malgré mon nouveau succès et ce que l'avenir me réservait. J'étais encore une *alien* aux États-Unis, j'avais pas ma carte verte, j'avais pas le droit de travailler, je me faisais payer *cash* et en dessous de la table, je risquais de me faire prendre n'importe quel soir et de me retrouver dans le premier autobus *back to Montreal*, et dans ma tête de linotte, y avait juste Xavier Cugat qui pouvait régler tout ça.

Mais au bout d'un an – le printemps était revenu, le jasmin recommençait à vous faire monter les larmes aux yeux –, le téléphone sonnait toujours pas. Alors, maudite folle que j'étais, j'ai décidé de provoquer les choses une fois de plus. Ben oui, je te vois hocher la tête, t'as raison… C'était impossible que je me prépare pas à une autre catastrophe, mais qu'est-ce que tu veux, j'étais jeune, belle, ambitieuse, on m'avait résisté une seule fois dans ma vie et j'étais convaincue que ça se produirait jamais pus parce que je commençais à connaître un début de petit succès. C'est ce pardon-là que je veux que tu me donnes, kid, le pardon de l'idiotie.

Tout le monde savait que monsieur Cugat fréquentait la terrasse d'un restaurant cubain à la mode, à South Beach. Quand on voulait le rencontrer, ou tout simplement le regarder manger tout seul son *ropa vieja* en compagnie de son petit maudit chihuahua maintenant qu'Abbe Lane était partie, on se rendait dans le sud de l'avenue Collins et on se plantait devant un hôtel rose et vert dont j'ai oublié le nom mais qui commençait par *El. El* quequ'chose… El Siboney, tiens, j'pense que c'est ça. Comme la chanson… Le chef d'orchestre était toujours installé à la même table, pas trop loin pour qu'on le voie bien, pas trop près pour éviter de se faire achaler. Y mangeait son *ceviche* tout en envoyant la main à ceux qu'y connaissait ou en répondant poliment aux saluts qu'on lui faisait. Y donnait des morceaux de *mole* à son chien qui trouvait ça trop piquant mais qui le mangeait quand même parce qu'y était trop cochon pour pouvoir s'en empêcher. (Ça, j'avoue que je viens de l'inventer, mais j'haïs ce chien-là et j'aime ça y trouver des nouveaux défauts…) Quand y sortait de la terrasse, la foule se séparait en deux, les têtes se baissaient comme si le pape lui-même venait de terminer son lunch ou son souper. Si par chance y s'arrêtait pour parler à quelqu'un, c'était considéré comme une consécration et la personne en question était ensuite vénérée pendant un gros quart d'heure. Puis, le chien dans la poche, y se glissait dans sa limousine et disparaissait devant un décor de palmiers verts et de mer bleue. Ou, si c'était la nuit, un pan de mur noir comme de l'encre décoré d'une lune blanche.

Un midi, donc, frustrée de pas avoir de ses nouvelles, je me décide à me présenter à lui pendant son lunch. J'avais commencé moi aussi à fréquenter le El Siboney, mais pas aux mêmes heures que Xavier Cugat, pour que mes intentions soient pas trop évidentes, et les serveurs, qui me connaissaient comme la bonne chanteuse et, surtout, la bonne tippeuse que j'étais, étaient fous de moi... Je les faisais rire avec mon accent canadien-français que j'exagérais exprès, je leur parlais de la neige et de la couleur des feuilles, à l'automne, je faisais semblant de m'ennuyer de chez moi parce que je savais qu'y s'ennuyaient de chez eux...

Raul, mon favori, était justement de service, ce midi-là, alors y s'est laissé convaincre – grâce à un billet de cinq dollars, faut le dire – de me permettre de me glisser en direction de sa table quand le grand homme aurait fini son *mole*.

J'étais plus belle que jamais, kid. Grâce à mon succès, j'avais pris de l'assurance, j'étais même devenue un peu fanfaronne et les hommes aimaient ça. J'avais la sensualité de la musique que je chantais et laisse-moi te dire que je savais m'en servir. Et j'étais habillée... tu peux pas savoir... J'avais trouvé une boutique où tout, absolument tout, me faisait et je me ruinais en vêtements au-dessus de mes moyens et en accessoires ridiculement dispendieux... Et ce midi-là, j'avais sur le dos pour plus de mille dollars de vêtements ! On était dans les années cinquante, là, oublie pas, on pouvait aller loin avec mille dollars dans ce temps-là !

Alors, avec mes mille dollars de vêtements et d'accessoires, je me suis approchée de la table de Xavier Cugat, sûre de moi, comme si je venais juste de m'apercevoir qu'y était là. Un heureux hasard, quoi, deux connaissances qui se croisent et qui se saluent. J'ai mis mon plus beau sourire et j'ai dit avec ma voix la plus voluptueuse :

« Hello, mister Cugat... Long time no see... »

Y a levé la tête. Sa bouche et sa moustache étaient tachées de sauce *mole* et j'ai failli partir à rire tellement y était ridicule. C'était ça, Xavier Cugat ? L'homme qui m'impressionnait tant ?

Rassurée, encore plus confiante, je me suis appuyée contre sa table.

« Remember me ? »

J'ai su tout de suite qu'y me reconnaissait très bien, même si y avait rencontré des tas de filles pendant les auditions de l'année précédente. Qu'y savait parfaitement à qui y avait affaire. Qui sait, y était même peut-être venu m'entendre chanter incognito parce qu'y avait entendu parler de moi. Je savais aussi qu'y avait pas encore trouvé de chanteuse pour remplacer Abbe Lane et que j'étais celle qu'y y fallait. Et c'est ça, surtout, qui me donnait le courage de venir le déranger pendant son repas.

Y s'est essuyé la bouche très lentement avec sa serviette de table qu'il a ensuite reposée sur ses genoux. Et sa réponse est tombée comme une roche dans la mer.

« No. »

Comment ça, no ? Comment est-ce qu'y osait me répondre qu'y se souvenait pas de moi !

J'ai toujours été prime, kid, c'est mon principal défaut. Je l'ai toujours dit quand les choses faisaient pas mon affaire, j'ai jamais été capable de me retenir. Ma mère me le disait quand j'étais petite, mes hommes me l'ont répété mille fois, je me le suis même dit à moi-même régulièrement en me regardant dans les yeux dans le miroir, mais qu'est-ce que tu veux, chuis faite comme ça !

Et j'ai pas été capable de me retenir cette fois-là non plus...

Avant même de me rendre compte de ce que je faisais, j'ai pris le verre de bière qui était devant Xavier Cugat et... au lieu de le lui envoyer en pleine face comme j'avais d'abord voulu le faire... je l'ai envoyé à la tête du chihuahua qui s'est mis à s'étouffer, à tousser, à éructer, à éternuer, on aurait dit qu'y était en train de rendre l'âme ! Puis, sentant la bière renversée sur la table, y s'est mis tranquillement à licher le liquide comme si de rien n'était, en véritable soûlon qu'y était probablement.

Mais monsieur Cugat, lui, était moins compréhensif que son chien. Y était devenu blanc comme un linge et j'ai pensé qu'y allait me sauter dessus. Mais pour mon plus grand malheur, y s'est contenté de prononcer la phrase que personne dans le show-business des États-Unis veut jamais entendre de sa vie, de Hollywood à Miami Beach, de New Orleans à Chicago, la phrase définitive qui marque ta fin de tout, la vie autant que la carrière, qui que tu sois ou qui que t'aies été. Y s'est mis à essuyer son chihuahua avec un empressement tout à fait pitoyable et y a dit sans même prendre la peine de lever la tête dans ma direction :

« You'll never work in this town again ! »

Le couperet venait de tomber. Et je savais que c'était sans rémission. Quand quelqu'un de puissant dans le show-business prononçait ces mots-là, la personne visée était automatiquement atteinte d'une espèce de maladie mortelle, une sorte de peste bubonique, et personne, jamais, nulle part dans la ville en question, n'osait plus l'engager pour pas se mettre ce personnage-là à dos. Et tout ça avait été dit devant témoins : Raul qui à partir de ce moment-là se rappellerait même plus de mon nom, les curieux qui avaient tout entendu, le maître d'hôtel qui se tenait pas loin… J'étais finie. Et, une deuxième fois, par ma faute. Et celle du maudit petit chihuahua. J'aurais dû suivre ma première idée : prendre mon sac à main et écraser l'animal comme une mouche ou une araignée, punir Xavier Cugat de m'avoir punie dans ce qu'y avait de plus précieux ! Et pourquoi, au fait ? Pourquoi y me punissait comme ça ? J'y avais juste dit bonjour ! Pour montrer sa puissance ? Pour se sentir plus homme ? Pour le fun ? Simplement pour le fun ? Détruire la vie d'une pauvre fille juste pour le plaisir de détruire la vie d'une pauvre fille ?

Mais mon orgueil l'a emporté. Cette fois-là, je sais pas comment, j'ai réussi à me contenir. Une chance, sinon j'aurais pu me retrouver en prison. Je me suis redressée sur mes talons déjà hauts et j'ai répondu avec la voix la plus ferme que j'ai réussi à trouver :

« You'll never have peace in this town again ! »

Et j'ai quitté le restaurant la tête haute avec ce déhanchement qui commençait à faire ma réputation.

Et j'espère que c'est vrai qu'y a jamais pu retrouver la paix. Que le sort que j'y ai jeté a été efficace. D'ailleurs, ça y a pris des années, des années, kid, avant de trouver Charo, la koutchi-koutchi girl, la ridicule remplaçante d'Abbe Lane qui faisait rire d'elle et rire de lui ! Y est devenu ridicule à partir de ce jour-là et c'est grâce à moi, Gloria, anciennement Gloria Star, *a little girl from Montreal, Canada* !

On se console comme on peut...

Le jour même, kid, ma valise était faite parce que je savais qu'y avait rien à faire pour sauver ma peau, surtout pas me présenter au travail ce soir-là parce que du travail j'en avais déjà plus – la nouvelle avait dû se répandre à travers Miami Beach comme une traînée de poudre, le patron du cabaret où je chantais préparer mon enveloppe de paye avec un petit bonus pour que je me ferme la gueule – et le lendemain j'étais dans l'avion parce que j'en avais désormais les moyens. J'étais peut-être partie en rampant, mais au moins je revenais en volant !

Mon retour en ville, j'en ai parlé tout à l'heure, a pas été rose, même si j'avais le compte en banque pour prouver que j'avais bien gagné ma vie tout ce temps-là, que j'avais pas végété comme le prétendaient les langues sales qui m'en voulaient d'avoir essayé de m'émanciper de la *Main*. Mais c'est pas ça qu'y croyaient pas, les soûlons, mon ancien public, mes anciens admirateurs, y voyaient bien que j'étais mieux habillée, mieux maquillée, j'avais même acheté une voiture, une Chevrolet jaune banane qui faisait se tourner toutes les têtes. Non, ce qu'y prenaient pas, c'était la partie avec Xavier Cugat. C'est vrai que je l'avais un peu embellie,

65

que j'avais prétendu, une fois le sifflet mouillé et l'amertume remontée à la surface, que j'avais chanté avec son orchestre, que j'avais *presque* remplacé Abbe Lane et que j'étais partie en claquant la porte pour une simple question d'argent, une question d'orgueil, de respect, mais mets-toi à ma place, qu'est-ce que t'aurais fait, toi, au retour d'un voyage comme celui-là ? Conté la vérité ? La vérité est plate, kid, toujours. Et elle a toujours besoin d'un petit coup de pouce. Les légendes se fondent pas sur les faits mais sur ce qu'on décide de faire avec. La mienne fait pas exception. J'en suis la seule responsable et j'en suis fière ! T'es le seul à qui j'ai tout raconté comme ça s'était passé. Parce que j'y étais obligée. Parce que j'ai besoin de ton pardon pour me sortir du maudit purgatoire dans lequel on m'a enfermée depuis si longtemps. Si on avait été ailleurs, tous les deux, si on s'était rencontrés y a cinquante ans, je t'aurais dit les mêmes choses qu'aux autres parce que l'histoire que j'avais fini par créer autour de ma disparition de la *Main* pendant plus qu'un an était tellement plus excitante que ce que j'avais vécu ! Je mentais, tout le monde le savait et me le faisait payer, mais j'aimais mieux ça que d'avouer mon échec ! Et ça, c'était une vraie question d'orgueil !

Tu comprends ben que les sbires de Tooth-Pick et Tooth-Pick lui-même s'en sont donné à cœur joie, hein… Y m'ont pas lâchée, pendant des années, y étaient toujours sur mon chemin, y riaient de moi en pleine face… Quand y venaient m'entendre chanter – peut-être parce qu'y pouvaient pas prétendre que j'étais pas une bonne chanteuse – y réussissaient quand même à rire de moi, y rotaient pendant mes plus belles chansons, y se croisaient les bras pendant mes saluts… Ça a duré… le reste de ma vie. Le reste de ma vie, kid, à endurer leurs sarcasmes, leurs farces plates, leurs insultes et, vers la fin, leurs sifflets. Parce qu'y sont allés jusqu'à se permettre de me siffler quand… quand ma voix a commencé à faiblir et la boisson – c'était de famille, je pouvais pas y couper ! – à ruiner le peu de talent qu'y me restait. J'ai fini mes jours dans un petit appartement au-dessus d'un garage, kid. Moi, Gloria Star, j'ai fini dans la senteur du gaz d'échappement et du pneu brûlé. Moi qui avais chanté au milieu des magnolias et des gardénias !

Un bon soir... Écoute, je pense pas qu'y avaient planifié ma mort, je suppose qu'y s'attendaient juste pas à ma réaction... En tout cas, un bon soir, ça a sonné à ma porte et j'ai été surprise parce que personne venait jamais me visiter. Chus allée ouvrir en titubant un peu parce que, oui, c'est vrai, j'avais pas mal bu... C'tait Tooth-Pick avec ses gros bras qu'y appelait ses « assistants », mais qui étaient en fait ses aides dans la torture et l'assassinat. Et là, je sais pas, là, sur le pas de ma porte, j'me sus dit qu'y allaient quand même pas venir rire de moi jusque chez nous, que c'était ridicule, que c'était absurde, qu'y fallait qu'y finissent un jour par me sacrer la paix... et j'me sus mise à crier comme une perdue. Je sais pas ce qu'y étaient venus faire, je le saurai jamais, mais Tooth-Pick a voulu me faire taire et, comme ça y arrivait souvent, y a agi avant de réfléchir. Énervé par mes cris de femme soûle, y a sorti son couteau pis y me l'a plongé dans la gorge. C'était peut-être pas pour me tuer, juste pour me faire taire, un geste de nervosité... Y a coupé mes cordes vocales d'un seul coup, mes cordes vocales, ma vie, et tout ce qui sortait de ma bouche c'était des hoquets de douleur pis des flots de sang.

J'ai reculé, j'ai arraché le couteau de ma gorge, chus tombée à genoux dans le passage. Lui pis ses assistants, y se sont sauvés comme des lâches, je les ai entendus qui déboulaient l'escalier, et chus restée là, sur le prélart, à me vider de mon sang.

Quand y ont retrouvé mon corps – même l'essence du garage pouvait pas couvrir ça – j'étais morte depuis près d'une semaine et Tooth-Pick, c'est en tout cas ce qui m'a été raconté, a prétendu que j'étais morte d'avoir trop bu, au milieu de mes vomissures, alors que j'étais morte de sa propre main. Et y a pas arrêté de me salir, jusqu'à ce qu'y disparaisse lui-même dans des circonstances pas trop claires qui ont jamais été élucidées…

T'as vu le barman, là-bas, qui nous espionne depuis que t'es arrivé ? Ben, laisse-moi te dire une chose, kid. Si tu reviens ici pour écouter une autre confession, méfie-toi de lui. Et haïs-le autant qu'on l'haït tous, parce qu'y le mérite. Je peux pas t'en dire plus, parce qu'y me fait encore peur, mais crois-moi, méfie-toi de lui.

La prochaine fois que tu vas revenir ici, kid, parce que tu vas revenir, tu pourras pas t'en empêcher, si je fais plus partie des buveurs que tu vois autour de nous, si ma place est vide, si y a plus de traces de moi nulle part, dis-toi bien que chuis enfin heureuse, que chuis enfin libérée, que j'ai enfin été capable de me lever de table, de traverser le bar, d'ouvrir la maudite trappe dans le plafond que je regarde depuis des dizaines d'années et de monter dans la salle du Monument-National pour rejoindre les fantômes qui la hantent. Qu'on me place au dernier balcon parmi les fantômes de moindre importance, ça me fait rien, d'abord que je ferai enfin partie du Musée du Monument-National ! Et si un jour pendant un spectacle tu sens une main se glisser dans ton cou, si t'entends une voix lointaine essayer de te murmurer quelque chose à l'oreille, aie pas peur, pense à moi, pense à Gloria la si peu glorieuse, et laisse-moi t'embrasser pour te remercier de m'avoir écoutée avec tant de chaleur. Parce que t'es un bon public, kid, tes yeux sont doux, tu sais écouter, et laisse-moi te dire que c'est pas donné à tout le monde… »

III

L'HOMME QUI DOUTAIT DE SES FACULTÉS

J'ai retraversé le sous-sol du Monument-National le plus vite possible, sans me retourner. Ce que je venais de vivre m'avait suffi : je ne voulais pas revenir à cet endroit, je refusais de devenir le confident de fantômes du passé plus ou moins récent de la *Main*, je n'avais pas du tout envie de retourner m'installer à une table bancale d'un soubassement humide où une quelconque créature du *redlight* s'épancherait sur moi pour obtenir mon absolution. Je n'étais pas qualifié pour absoudre qui que ce soit et il n'était pas question que je remette les pieds dans ce que la pauvre Gloria avait appelé le purgatoire du Musée du Monument-National.

Juste avant de grimper l'escalier qui menait au corridor de l'entrée, cependant, je n'ai pu m'empêcher de jeter un coup d'œil derrière moi. Le tableau s'était figé dans le cadre de porte, on aurait dit une image de film agrandie et fixée au mur mais, cette fois, Gloria me regardait en face au lieu de se noyer dans le fond de son verre. Et le regard qu'elle me lançait était d'une telle intensité, la reconnaissance que j'y lisais était si sincère et si touchante que je n'ai pas pu m'empêcher de penser, une fraction de seconde, que je n'avais pas perdu mon temps, que je venais de faire une bonne action en plus d'écouter une histoire qui, je devais bien me l'avouer, m'avait passionné.

En arrivant au haut de l'escalier, j'ai tout de suite regardé à droite pour vérifier si la porte de sortie, mon trou dans le mur, était toujours là. La vie. La vie qui continue son petit bonhomme de chemin. Des voitures qui passent. Des promeneurs. Un autobus. Une guidoune titubante. Le soulagement. J'allais enfin quitter un monde dont j'étais loin d'être sûr qu'il existait pour réintégrer le mien, le vrai, moins surprenant, certes, peut-être aussi moins coloré, mais si réconfortant après les nuits humides et absurdes de Miami Beach au printemps que m'avait fait vivre Gloria.

Tout de suite en franchissant la porte, j'ai remarqué une chose curieuse que j'ai d'abord attribuée à mon énervement ou au changement brusque d'éclairage : en mettant le pied sur le trottoir de la rue Saint-Laurent, sous la marquise du Monument-National, j'ai eu l'impression que la qualité de la lumière s'était modifiée. Les couleurs étaient moins précises, un peu comme si le ciel avait été envahi de façon brusque par des nuages alors qu'il était aussi vide que lorsque la porte m'était apparue – j'ai regardé ma montre – quatre heures plus tôt. Quatre heures ! J'avais écouté cette pauvre femme se confier à moi pendant quatre heures ! Pas étonnant que j'aie trouvé que la lumière n'était plus la même.

J'allais me retourner pour voir si le trou dans le mur existait toujours maintenant que je m'en étais extirpé, lorsque j'ai entendu la voix de mon soûlon de tout à l'heure. Il venait d'apparaître à ma droite, il arrivait donc du boulevard René-Lévesque ou du *Chinatown*. Plus paqueté que jamais, le nez rouge brique, la démarche chambranlante. Il semblait aussi étonné que moi de me retrouver là quatre heures plus tard.

« 'Coute donc, toi ! As-tu passé l'après-midi le nez collé sur la brique du Monument-National ? T'es plus soûl que moi, certain ! »

Je me suis retourné.

Pas de porte. Le trou dans le mur avait disparu.

Je n'ai rien trouvé à répondre à mon interlocuteur qui s'est dirigé en riant tout droit vers l'entrée du Montreal Pool Room.

C'était déjà l'heure d'un autre repas et, tel le chien de Pavlov, mon gars obéissait au signal que son estomac lui envoyait. Et, je suppose, retournait au seul endroit où il pouvait manger pour presque rien des choses satisfaisantes et bourratives, sinon nourrissantes. La seule idée des patates frites et des hot dogs steamés et, surtout, de l'odeur du restaurant m'a soulevé le cœur et je me suis éloigné vers le sud avec l'intention de me promener, et longtemps, pour réfléchir à ce qui venait d'arriver de si prodigieux dans ma vie.

Mais réfléchir à ce genre de chose irrationnelle, absurde, ne pouvait mener qu'à un mal de bloc et une crise d'angoisse. En effet, il ne pouvait y avoir qu'une explication logique à ce qui venait de se produire et je devais m'y résigner : j'avais décidé d'espacer l'absorption de mes médicaments depuis quelques semaines et mon corps me le faisait payer, voilà tout. Je recommençais à avoir des hallucinations comme à l'époque de l'œuf de verre dont mon père m'avait fait cadeau quand j'étais jeune, il n'y avait pas d'autres raisons, ça ne servait à rien d'en chercher. En arrivant à la maison, je prendrais le gros cachet bleu et le petit jaune et le tour serait joué : plus de purgatoire, plus de Gloria Star, plus de barman espion. Un sommeil profond et sans rêves suivi d'un réveil quelque peu difficile, et un jour comme les autres, ennuyeux et calme, commencerait.

Tout en me promenant dans le *Chinatown*, cependant, j'étais loin d'être convaincu de ce que j'avançais dans ma tête pour me rassurer, mais je préférais y croire plutôt que de me perdre en suppositions et conjectures. Je l'avais trop fait au retour de la Cité dans l'œuf et ça m'avait mené droit à l'hôpital psychiatrique. Personne ne m'avait cru, jamais, et j'étais resté un solitaire toute ma vie parce que j'avais un secret que je ne pouvais pas partager avec qui que ce soit. Qui aurait voulu d'un fou qui prétendait avoir visité une ville habitée par les derniers dieux encore vivants d'une civilisation oubliée ? Ou d'un malade d'un autre genre, un silencieux qui gardait tout pour lui parce qu'il se méfiait de tout le monde, même de la personne qui l'aimait et avec qui il partageait sa vie ?

Pour me consoler, je suis entré au Kathay, mon restaurant favori du *Chinatown*. J'ai mangé des choses dont j'étais incapable de prononcer le nom et dont je préférais ne pas savoir la provenance – je demande toujours au chef de me servir ce que les Chinois qui fréquentent son établissement commandent ce jour-là, et chaque fois il m'accommode avec un sourire de défi, mais jamais je n'ai refusé un plat et j'avale toujours tout jusqu'au bout – et je suis sorti de là bourré, un peu ivre, mais loin d'être rassuré sur mon état mental.

Et si c'était le soûlon qui avait eu raison ? Après tout, si j'étais resté le nez collé sur un mur de briques pendant quatre heures en pensant recevoir les confidences d'une ancienne chanteuse de musique latino, ça voulait dire que j'étais à nouveau un homme malade et il fallait que je me surveille…

Non.

Tout ça avait été trop réel, trop logique dans son déroulement pour n'être qu'un rêve ou une illusion provoquée par le manque de médicaments. Le Musée du Monument-National existait bel et bien, mais il fallait à tout prix que j'évite d'y retourner si je ne voulais pas revivre l'enfer de l'hôpital, les regards suspicieux, les médicaments trop forts et les nuits passées à écouter les autres patients hurler à la lune. Mais, c'est vrai, on n'enferme plus les fous, on est une société qui a trop longtemps vécu au-dessus de ses moyens, on les laisse donc en liberté et on les drogue, ça coûte moins cher. J'en suis un parfait exemple.

Je suis revenu à la maison épuisé d'avoir trop mangé et trop marché. Et trop réfléchi. Mes deux pilules avalées, j'ai ouvert la télévision, j'ai zappé pendant une petite demi-heure devant les niaiseries qu'on me proposait et, sans trop m'en rendre compte, j'ai sombré, tel que souhaité, dans un sommeil de plomb.

(J'étais de retour au Kathay. J'étais attablé devant une véritable montagne de victuailles, des choses très belles, très colorées, d'autres repoussantes que je n'aurais jamais accepté de mettre dans ma bouche, mais ce n'était pas moi qui mangeais. C'était Gloria. Une Gloria énorme, rougeaude, joyeuse, qui s'empiffrait en me lançant de temps à autre le même regard de reconnaissance que lorsque j'avais quitté le tableau. Elle abattait ses mains grasses et comme huileuses sur des têtes de poissons et des groins de cochons, elle riait comme une petite fille et me disait entre deux monstrueuses bouchées :

« Merci, mon François ! Merci ! Tu sais pas ce que t'as fait aujourd'hui ! La bonne action ! La bonne action ! »

Le repas étalé devant elle se transformait tout à coup en un monceau de hot dogs *steamés* et de patates frites, et c'est désormais la voix de celui qui avait été mon voisin de comptoir, le dénommé Maurice, qui s'élevait dans le restaurant :

« La liberté, kid ! La liberté ! Sais-tu ce que c'est que de retrouver la liberté après tant d'années d'enfermement ? »)

Lorsque je me suis réveillé, en sueur et le cœur battant, j'étais en train de hurler :

« Oui, je le sais, et je refuse de le revivre ! »

Et c'est en me passant le visage à l'eau froide que j'ai compris que le Musée existait, quoi que puisse prétendre la logique, et que j'y retournerais sans résister s'il voulait encore de moi. Comme confident. Parce que la veille, je le savais maintenant, j'avais *vraiment* sauvé une âme.

Mais lui, voudrait-il de moi ? N'avais-je été que l'invité d'un jour, un hôte de fortune, avais-je fait s'ouvrir une porte interdite par un concours de circonstances qui ne se produirait plus quels que soient mes souhaits ? M'étais-je trouvé tout simplement au bon endroit au bon moment ? Si j'allais me planter devant le Monument-National, là, tout de suite, le mur resterait-il fermé parce que les conjonctures ou l'alignement des planètes ou les phases de mon biorythme n'étaient pas les bons ?

Et si j'y retournais, si le trou dans le mur réapparaissait, qu'allais-je trouver ? La même chose ? Un tout autre univers ? Pire que celui-ci, ou trop beau pour être supportable ? Le mur menait-il à différentes possibilités du monde dans lequel nous vivons, des existences parallèles insoupçonnées, ou toujours au même purgatoire pour les âmes perdues de la *Main* ? Trop de questions trop tôt le matin me trottaient dans la tête, je suis sorti de la salle de bains avec un début de migraine carabinée que j'ai essayé de mater avec trois Advil. Et, bien sûr, puisque j'étais revenu à de meilleures sentiments depuis la veille, les médicaments que je devais prendre chaque jour en me levant. Rien n'y fit, je suis arrivé au repas du midi avec la sensation que des gnomes vicieux mal intentionnés me vrillaient le cerveau comme lorsque, enfant, je faisais une telle fièvre qu'on devait me conduire à l'hôpital.

Je décidai donc d'aller vérifier sur place la solidité ou la fragilité de mes facultés : si le trou dans le mur n'apparaissait pas, je laisserais tout ça dans le champ miné de mes souvenirs ; si la porte du purgatoire du Monument-National s'ouvrait pour me laisser passer, je réfléchirais à ce que je devais faire. Ou bien je me jetterais à l'eau sans réfléchir.

J'ai quitté la maison à peu près à la même heure que la veille et j'ai refait le même trajet. La température était semblable mais, c'est curieux, je continuais à penser que la lumière était différente, moins présente, moins nuancée, moins *vivante*.

Un désagréable sentiment de déjà-vu s'est emparé de moi lorsque je suis passé devant le Montreal Pool Room. Que le même cuisinier que la veille y soit, c'était normal, mais quand j'ai aperçu mon soûlon qui dormait appuyé au comptoir avec sa cigarette allumée et son café froid, je me suis dit ça y est, je suis pris dans un cercle vicieux, je vais revivre les mêmes choses, sans fin, je vais être obligé d'endurer encore une fois la confession de Gloria, la si peu glorieuse, et encore demain si j'y retourne…

L'odeur suiffeuse qui sortait du restaurant par une espèce de bruyant ventilateur me soulevait le cœur et je me suis éloigné le plus vite possible de la vitrine où étaient dessinées des représentations approximatives et très laides de hot dogs et de frites où dominaient des teintes de jaune et de brun, les deux couleurs que je déteste le plus au monde…

Pas de porte, cette fois, pas de trou dans le mur. La jonction entre le Monument-National et la maison d'à côté restait la même, je n'aurais donc pas droit au Musée du Monument-National ce jour-là. J'étais à la fois déçu – ma grande curiosité s'en trouvait frustrée – et soulagé – je ne risquais pas de tomber sur Gloria et son ex-Fernando. Mais j'étais aussi un peu offusqué qu'on m'interdise l'accès à cet endroit après m'avoir permis, la veille, et sans problème aucun, d'y pénétrer et d'en explorer les mystères, du moins en partie. Où était la différence entre hier et aujourd'hui ? J'étais la même personne, excepté… oui, c'était peut-être ça, excepté qu'hier j'ignorais l'existence de ce lieu magique, alors qu'aujourd'hui, je m'étais attendu à ce qu'il s'ouvre devant moi pour la simple et unique raison que *moi* je le désirais. Il fallait peut-être… comment dire… une certaine dose d'ignorance – d'innocence, plutôt, je n'aime pas le mot ignorance – qui faisait que l'apparition de la porte inexistante prenait la personne à qui elle apparaissait par surprise, alors que moi, qui avais en quelque sorte perdu ma virginité le jour précédent, je m'attendais à la retrouver.

L'accès au Musée du Monument-National n'était donc pas permis à qui le voulait mais bien à qui était choisi. Mais par qui ? Comment ? J'avais une fois de plus le nez collé contre le mur du théâtre et je me disais qu'il fallait que je m'en éloigne avant que Maurice sorte du Montreal Pool Room et me surprenne dans la même position que la veille. Comme je venais de le surprendre, moi.

Je déteste qu'on me résiste et j'avais envie de hurler ma frustration. J'aurais griffé la pierre du théâtre pour avoir une réponse à mes questions. Je ressentais soudain le besoin pressant d'entrer au Musée, rien n'était plus important pour moi, tout à coup, j'avais l'impression que j'allais en crever si on ne me permettait pas d'aller visiter Gloria ou l'un des autres fantômes, même si au fond de moi quelque chose continuait à me dire que tout ça était impossible, que j'étais la victime d'une espèce de cauchemar éveillé dont il fallait à tout prix que je me débarrasse si je ne voulais pas retomber malade.

Et seule l'idée de l'hôpital, des médicaments trop puissants, de l'insultante mansuétude du personnel, du paternalisme des psychiatres m'a fait m'éloigner du théâtre. Mais un passant qui m'aurait vu descendre le boulevard Saint-Laurent, gesticulant et me parlant à moi-même, aurait, peut-être avec raison, porté un très mauvais jugement sur moi : j'étais revenu, je le sentais, à la frénésie, à l'excitation, à la fébrilité de l'époque de la Cité dans l'œuf... et j'avais peur. Plus de moi, d'ailleurs, que du Musée du Monument-National. Qui n'était peut-être que le fait de mon imagination.

Quelques semaines passèrent, cependant, avant que se présente une occasion de retourner sur la *Main*. À mon grand étonnement, elles ne furent pas si pénibles. Devant le théâtre, mon envie d'entrer au Musée avait été impérieuse, brûlante, j'en interprétais l'inaccessibilité comme une insulte personnelle, un rejet, je voulais crier à l'injustice, exiger qu'on me donne le droit de passer, mais éloigné de la tentation, j'avais pu réfléchir à tout ça, me raisonner, voir à quel point je m'étais laissé aller à des spéculations fantaisistes, encore une fois, pour me piéger moi-même dans une histoire absurde, hautement improbable, une histoire que je trouverais un peu ridicule et tout à fait invraisemblable si on me la racontait et qui décrivait bien les dangers, les leurres auxquels m'exposait depuis toujours la fragilité de mon esprit.

Tout semblait trop vrai quand se produisait ce genre d'hallucination pour que je n'y croie pas, mais tout était trop absurde lorsque je m'en éloignais pour que je ne me rende pas compte de l'invraisemblance, pire, de l'impossibilité de ce que j'avais cru vivre. Je pensais qu'en m'éloignant de la tentation, je diminuerais les chances de rechute.

Je m'étais donc enfoncé dans le train-train quotidien médicaments-farniente-dodo, j'essayais de me convaincre que c'était ce que je voulais, en tout cas ce dont j'avais besoin pour avoir l'esprit en paix, et, ma foi, je pourrais dire que j'y réussissais assez bien. Les médicaments aplanissaient mes angoisses ; le farniente, j'y étais habitué, me faisait traverser les heures creuses du jour que je consacrais à la lecture ou à l'écoute de mes musiques favorites. Et je dormais beaucoup. Sans jamais rêver au purgatoire de la *Main*. Le récit de Gloria s'effaçait petit à petit de ma mémoire, de même que le Musée. Ça prenait avec le temps les couleurs d'un rêve, peut-être plus réaliste, plus trompeur que les autres, mais tout de même un rêve que je pouvais choisir d'oublier. Et je choisissais de l'oublier.

Lorsque je repassai devant le Monument-National, je le jure, ce fut par hasard. (On pourrait discuter longuement de la véracité de ce que je viens d'écrire, je le sais bien, imaginer que j'ai pris ce jour-là cet autobus-là dans le but non avoué de passer devant le théâtre, que ce genre de hasard n'existe pas, mais toujours est-il que je me suis retrouvé quelques semaines plus tard dans l'autobus 55 et que c'est ce qui compte pour la suite de mon récit.)

Pris d'une soudaine envie de chinoiseries, j'avais tout de suite pensé au Kathay. Mais une douleur au genou m'empêchait depuis quelques jours d'entreprendre de longues marches. J'avais donc pris un taxi pour me rendre au *Chinatown*. En sortant du restaurant, je décidai, sans arrière-pensée, je le jure encore une fois, de rentrer en autobus : d'abord le Saint-Laurent vers le nord, puis le Rachel vers l'est. J'étais assis sur le côté de l'autobus qui donnait sur le trottoir ouest de la rue Saint-Laurent et je m'amusais, comme je le fais toujours, à surveiller les badauds, lorsque arrivé au coin de Saint-Laurent et René-Lévesque, peut-être parce que j'ai vu deux travestis qui s'engueulaient, j'ai pensé au Monument-National pour la première fois depuis des jours. Le feu revenu au vert, l'autobus reparti, j'ai tendu le cou pour guetter la façade du théâtre.

La porte était là, grise et triste, les planches disjointes comme la première fois, et semblait m'attendre.

J'ai débarqué de l'autobus au coin de la rue Sainte-Catherine et j'ai redescendu Saint-Laurent en courant, bouleversé, les nerfs à vif, la peur au ventre. Celle de ne plus retrouver la porte, qu'elle se soit trouvée là pour quelqu'un d'autre, que ce quelqu'un d'autre ait eu le temps de l'ouvrir avant que j'arrive et que j'aboutisse devant un mur de briques. Rien n'existait plus, tout à coup, que cette porte pratiquée peut-être pour moi dans le mur du Monument-National : mes projets d'oublier cette histoire, de la traiter comme un simple rêve, s'étaient envolés dès l'instant où je l'avais aperçue, et tout ce que je désirais était de me retrouver au sous-sol du théâtre en compagnie d'un fantôme de la *Main* qui me raconterait sa vie. Même Gloria. J'étais prêt à écouter une seconde fois et au complet le récit de Gloria, la version complète de quatre heures, si c'était le prix à payer pour prouver une fois pour toutes que je n'étais pas fou et que tout ça existait, aussi invraisemblable, aussi absurde que ce soit.

Les médicaments pouvaient transformer ce qu'il y avait à l'intérieur de moi, mais tout de même pas ce que contenait le monde extérieur ! Si cette porte m'attendait, je n'avais pas le droit de passer outre et je ne le ferais pas. Quoi qu'en puisse dire un jour un quelconque docteur si jamais l'envie – peu probable – me prenait de me confier à quelqu'un.

La porte était toujours là, telle que je l'avais aperçue de l'autobus, avec ses planches disjointes et ses pentures rouillées. C'était donc bien moi qu'elle attendait. Je me suis glissé dans la brèche pratiquée dans le mur avec plus d'assurance que la première fois parce que je savais ce qui m'attendait derrière. L'odeur de pourriture était moins forte qu'à ma visite précédente ; elle ne me dérangeait plus.

J'ai parcouru en courant le chemin qui menait au Musée et je suis arrivé presque essoufflé devant le tableau du soubassement. C'était le même, il représentait toujours le bar enfumé que j'avais déjà visité – l'espèce de trame sonore qui l'accompagnait, rires et tintements de verres, était aussi présente –, mais le sujet principal, au milieu de la toile, assis à la table de bois, le nez plongé dans son verre et l'air soucieux, avait changé. Je n'aurais donc pas droit, et j'en ressentais un grand soulagement, aux confidences de Gloria, mais à celles de quelqu'un d'autre.

Cette fois c'était un homme. Assez grassouillet. Plutôt vieux.

Lorsque je suis entré dans la pièce, le tableau s'est pour ainsi dire remis à vivre comme la dernière fois et le vieil homme a levé la tête en me criant avec une voix rauque, burinée par des générations de cigarettes fortes et de verres d'alcool de mauvaise qualité :

« J'm'appelle Willy Ouellette, pis j'ai été assassiné avec ma musique à bouche ! Tire-toé une chaise pis assis-toé que je te conte ça ! »

IV

L'HISTOIRE DE WILLY OUELLETTE, LE ROI DE LA RUINE-BABINES

« J'sais pas si t'es t'icitte parce que t'as choisi d'être icitte, mais dis-toé ben que moé, j'ai pas choisi d'être icitte pis que ça me fait chier ! J'ai jamais aimé conter des histoires, encore moins celle de ma vie, j'ai toujours aimé mieux m'exprimer avec mon harmonica qu'avec ma voix, pis l'idée de venir m'installer devant toé que j'ai jamais vu, sauf la fois que c'était au tour de Gloria de se confesser, pour sortir des choses qui regardent juste moé pis que j'aimerais mieux garder pour moé, est loin de me faire plaisir, laisse-moé te le dire…

Si c'était pas la seule façon que j'avais de sortir d'icitte pour aller rejoindre ceux d'en haut, j'te renvoyerais ben raide d'oùsque tu viens pis j'me replongerais dans mon verre de rye qui finit toujours par me fournir l'oubli pis la paix. Quand tu bois, y a pus de limites entre la réalité pis la fiction, tout est possible. Tu peux oublier que t'es t'icitte depuis tellement longtemps que tu te rappelles même pus de quoi ça a l'air, dehors, tu peux aussi oublier que tu t'en sortiras pas tant que t'auras pas conté ton histoire à quelqu'un qui va être là juste pour ça, que tu risques de t'éterniser icitte parce qu'y a pas beaucoup de candidats qui se présentent, pis qu'en plus y faut que t'attendes ton tour parce qu'y en a qui sont là depuis plus longtemps que toé. Tu finis par te concentrer sur ton mal de bloc pis y a pus rien d'autre qui existe. Un bon gros mal de bloc, ça occupe ! Trouves-tu ? Bois-tu ?

Mais c'est vrai que c'est pas toé qu'y faut qu'y parle…

Faut croère qu'y a un prix pour toute, hein, ça fait que me v'là installé devant toé pour te conter comment ma musique à bouche a abouti au fond de ma gorge si je veux avoir la permission de me lever de la table, de traverser la taverne – j'appelle ça la taverne, ça me rappelle le bon vieux temps, la rue Sainte-Catherine, mes amis – pis de grimper le maudit escalier qui mène au théâtre comme j'ai vu Gloria le faire, l'autre fois… T'arais dû entendre le cri de joie qu'elle a lancé quand est arrivée en haut de l'escalier ! On arait dit une petite fille au pied d'un arbre de Noël ! Ou une sainte à la porte du paradis ! Y paraît que quand j'vas être devenu un fantôme officiel du Musée du Monument-National, en haut, y vont me redonner le droit d'utiliser ma ruine-babines… Mais seulement quand le théâtre est vide. Pas pendant les spectacles. Juste pour ça, juste pour la retrouver, la mouiller, la serrer entre mes lèvres pis attaquer mon *all time favorite*, le *Beau Danube Bleu* de Johann Strauss, j'trouve que ça vaut la peine de jouer le jeu.

Si t'as pas le goût de m'écouter, fais semblant, ça me dérangera pas pantoute. D'abord que le barman, là, là-bas, tu le vois, le maudit espion, le maudit porte-panier, le représentant de ceux d'en haut, de ceux qui mènent, de ceux qui décident, leur tueur à gages, tu le vois, celui qui fait semblant de couper des citrons alors qu'on sait très bien tou'es deux qu'y nous écoute, le chien sale, le maudit rapporteur, d'abord que lui pense que je me confesse, que chus sincère pis que tu m'écoutes, on peut toujours s'en sortir… Mais arrange-toé pas pour t'endormir, par exemple, même si tu trouves mon histoire ben plate, parce que c'est moé qui payerais, pis, cré-moé que je payerais cher ! Tu comprends, je perdrais mon tour… Pis le prochain tour, ben… J'aime mieux pas penser à quand ça serait, mon prochain tour… Y en a un qui l'a manqué, son tour, wof, y a ben des années… Y a été obligé de retourner au fond de la taverne, à la table la plus loin de la porte d'entrée, pis, r'garde, tu peux le voir si tu te penches, y est en pleine dépression depuis ce temps-là. Le vois-tu ? Y est gros, y est sale, y pue, pis son tour est encore loin d'être revenu… En plus, compte-toi chanceux parce que son histoire, à lui, est la plus ennuyante de toutes celles qui doivent être contées icitte ! J'plains le pauvre gars ou la pauvre fille qui va être pogné à l'écouter ! En tout cas, j'te souhaite pas que ça soye toé !

Bon, ben, 'coudonc, allons-y, Alonzo, comme on disait quand j'étais petit… Faudrait ben que je commence si je veux finir ! Chus là que je parle pour rien dire pis que je commence pas mon histoire, tu vas finir par penser que j'ai rien à dire !

Tu peux même fermer les yeux si tu veux. Ça va peut-être être plus beau…

Imagine-toé un samedi soir de rêve, une nuit d'été chaude pis collante, une nuit oùsque le monde est cochon parce que la lune, pleine pis toute rouge, s'est levée avec l'intention de rendre fou tout ce qui bouge… La *Main* est en fête parce qu'a s'est trouvé une nouvelle raison d'être en fête, juste pour le fun, juste pour continuer le party de la veille qui lui-même était la suite d'un autre… Tu pourrais remonter comme ça jusqu'aux origines de la *Main*, jusqu'aux raisons de sa naissance, parce qu'elle a été inventée pour ça, la *Main*, pour le party sans fin, pour le grand mal de bloc qui finit jamais pis qu'aucune aspirine peut soulager…

Tout le monde est dans la rue, habillé le moins possible, les guidounes sont franchement indécentes pis les travestis sont en calvaire parce qu'y peuvent pas en ôter autant qu'elles sans que ça paraisse qu'y sont pas des vraies femmes…

Au-dessus de tout ça, y a une musique qui plane. L'entends-tu ? Tu peux choisir le morceau, si tu veux. J'te donne le choix : *Le Beau Danube bleu*, je viens d'en parler, ou ben *La méditation de Thaïs* de

Massenet. Aimes-tu mieux *La méditation de Thaïs* de Massenet ? C'est peut-être plus approprié pour une nuit d'été, hein, c'est plus… C'est quoi le mot ? Sensuel. C'est plus sensuel. Parce que, oui, tu l'as deviné, c'est ma musique à bouche que t'entends, c'est moé qui joue. C'est ma musique qui virevolte comme un papillon soûl au-dessus de la rue Saint-Laurent, entre Sainte-Catherine pis Dorchester, pour accompagner tous les coups bas, tous les mensonges, toutes les pitoyables transactions qui se font au détriment des pauvres gars sans défense, des pauvres rêveurs, des pauvres innocents qui ont pas les moyens de se payer du bon temps dans les endroits soi-disant chic de Montréal pis qui viennent icitte se faire pleumer, les pauvres, les pauvres niaiseux. Se faire pleumer pis aboutir avec rien d'autre que le fameux mal de bloc qui va passer juste si tu continues le party. Ou une douleur entre les jambes qui va fleurir comme une plante empoisonnée si t'en prends pas soin tu-suite.

Sais-tu que c'est pas si désagréable, en fin de compte, de conter son histoire ? Y suffit de s'écouter parler. Si tu me permets, j'vas m'écouter parler pendant le reste de mon récit, ça va peut-être le rendre plus intéressant… Pour moé autant que pour toé.

Y faut que je te dise, aussi, qu'à l'époque dont je te parle, ma musique faisait pas l'affaire de tout le monde. Y en avait une bonne gang que j'énervais depuis un bout de temps – les gros bras de Maurice-la-piasse, par exemple – parce qu'y disaient que je servais à rien, qu'y avait pas d'argent à faire avec moé pis, surtout, que je jouais faux. C'est vrai que je jouais faux. C'est vrai que *La méditation de Thaïs* de Massenet, c'est énervant quand c'est pas bien joué, mais, comme je leur disais souvent, j'avais le droit de vivre, moé aussi, j'avais le droit de m'exprimer, je dérangeais personne, j'empêchais aucun de leurs maudits marchés de se conclure, qu'y me laissent donc en paix… Quand y passaient devant moé, y se bouchaient les oreilles avec des gestes exagérés ou ben y pigeaient les plus grosses pièces d'argent au fond de ma casquette qu'y allaient ensuite garrocher à un quelconque quêteux qui se donnait même pas la peine de jouer de la musique pour mériter ce qu'on y lançait… Y les enduraient, eux autres, les quêteux qui pusent pis qui pissent dans leurs culottes, mais y auraient voulu que moé j'arrête de jouer de mon harmonica ? *No way*, bébé !

Faut dire aussi qu'en tant que musicien ambulant, j'étais témoin d'à peu près tout ce qui se passait dans le quartier pis que ça dérangeait ceux qui tenaient les rênes, qui voulaient garder le pouvoir… Y m'appelaient le senteux de *caneçons* parce que je jouais souvent assis sur le trottoir pis que mon nez se retrouvait à la hauteur de leur cul, y me donnaient des coups de pieds en passant, des claques derrière la tête. Y savaient que je parlerais jamais, j'aurais eu trop peur des conséquences, mais ça les faisait chier de savoir que je savais des choses que j'aurais pas dû savoir.

Un exemple… T'as le temps que je te donne un exemple ? Ben oui, c'est vrai, si ça fait partie de mon histoire… J'ai-tu parlé, moé, quand y ont réglé son cas à Greta-la-Jeune parce qu'est-tait rendue qu'a buvait trop depuis la mort de Greta-la-Vieille, qu'a faisait quasiment pus de clients, pis que Maurice avait fini par prétendre qu'a y coûtait de l'argent (j'ai jamais su comment a pouvait y coûter de l'argent, Maurice était loin d'être généreux avec ses guidounes, mais ça c'est une autre question) ? Ben non, j'ai pas parlé ! J'ai rien dit ! Je parlais jamais ! J'étais témoin d'à peu près tout ce qui se passait de croche dans le bout, mais j'aurais jamais parlé ! Jamais !

Un autre exemple : quand Tooth-Pick, le bras droit de Maurice, a assassiné la Duchesse de Langeais dans le parking en face du Monument-National, au beau milieu des Olympiques de 1976, y s'est pas rendu compte qu'y avait de la musique qui jouait ? Hein ? En tout cas, y en a jamais parlé ! Y était-tu habitué à ma ruine-babines au point où y l'entendait pus quand j'en jouais ? J'étais-tu devenu la trame sonore de la vie de la *Main* au point où on finissait par oublier que c'est quelqu'un, quelqu'un de vivant, avec des yeux pis des oreilles, qui improvisait tout ça, quelqu'un qui comprenait très bien ce qui se passait pis qui pouvait en tirer ses propres conclusions ? Quand la Duchesse a remonté la *Main* comme une reine, avec le couteau planté dans le ventre parce qu'a voulait pas mourir comme une *nobody* au fond d'un parking, entre deux poubelles pis des aiguilles de dope, pis quand a s'est effouerrée au coin de Saint-Laurent pis Sainte-Catherine, avec les entrailles qui y pendaient entre les mains, plus majestueuse qu'elle l'avait jamais été, personne a remarqué la magnifique marche funèbre qui accompagnait tout ça ? Personne a entendu la plus belle musique qui est jamais sortie de mon harmonica, en l'honneur de la Duchesse, la seule vraie reine que la *Main* a jamais connue ? On dirait ben que non.

Les guidounes, les travestis, les clients, les policiers, ceux qui tiennent les fils pis qui font danser toutes ces marionnettes-là, y savaient donc pus que j'existais ? Personne savait pus que j'existais ?

Oui, ben sûr que oui qu'y le savaient. J'te l'ai dit, tout à l'heure, je dérangeais ben du monde, je le sentais, mais je savais pas à quel point. Je prenais les coups de pieds ou les tapes derrière la tête comme des avertissements, oui, c'est vrai, mais je savais pas que ces avertissements-là étaient sérieux… que j'étais surveillé, que j'étais en danger…

Mais revenons-en à la belle nuit d'été dont je te parlais tout à l'heure. Y fait tellement beau ! Prends une grande respiration… Sens-tu, derrière l'odeur de bière mal digérée, le vomi qui salit les trottoirs, le parfum bon marché des filles, vraies ou fausses, qu'on croise entre de Maisonneuve et

La Gauchetière, sens-tu la vraie senteur de la nuit ? Celle qui vient de la pleine lune, qui te colle à la peau pis qui te fait faire des bêtises irréparables ? Le parfum des choses défendues, même ici, sur la *Main* où tout est censé être permis ? Mais qu'est-ce qui pourrait être défendu, hein, quoi donc ? M'as te le dire, moé. Parce que je l'ai vécu pis que je paye encore pour.

Une bonne action, c'est ça qui est défendu !

Mais y a beau faire un temps superbe, chus pas en forme, ce soir-là. Pourtant tout devrait me porter à trouver la vie belle : le temps, les odeurs, le monde qui se promène, l'argent qui tombe plus facilement dans ma casquette que d'habitude (quand y fait beau pis qu'y sont émoustillés, les promeneurs sont plus généreux)... Mais je me sens vieux depuis quequ'temps, j'ai la vessie qui déborde trop souvent, j'ai mal aux jambes, j'ai des brûlements d'estomac qui me font monter les larmes aux yeux... Je le suis, vieux, ça c'est sûr, je traîne sur la *Main* depuis des dizaines d'années, j'ai passé depuis longtemps l'âge d'errer, comme ça, sans but, en quêtant mon pain avec ma musique à bouche, mais j'ai tenu bon jusqu'à l'année passée sans trop de problèmes, même l'hiver m'a pas trop posé de soucis, mais depuis le printemps, je sais pas, j'me sens... j'me sens comme rapetisser ou ben partir en morceaux. As-tu déjà eu c't'impression-là, toé, de partir en morceaux, que chaque matin y a un bout de toé qui a disparu pendant la nuit pis qu'un bon jour y vont juste retrouver un petit paquet d'os insignifiants qu'y reconnaîtront même pas tellement y restera pus grand-chose de toé là-dedans ? Ben, laisse-moé te dire que ça serre le cœur. Parce que c'est pas long que tu penses que t'as servi à rien ! Tout ça pour te dire que la nuit a beau être splendide avec ses parfums prometteurs pis la foule complètement folle, moé, j'me sens plutôt comme un vieux chien fatiqué qui se traîne comme y peut. Même ma ruine-babines m'écœure un peu parce qu'elle a commencé à rouiller pis que des fois elle a un petit goût de métal qui me remonte dans la bouche. Quand je serai même pus capable de jouer de ma musique, qu'est-ce que j'vas faire pour gagner ma vie ? J'ai toujours, *toujours* refusé de quêter pis je commencerai certainement pas à l'âge que j'ai.

Aussitôt le soleil couché, j'me sus t'installé dans une entrée de magasin de *dry goods* qui a fermé ses portes à six heures, comme tous les soirs. C'est le seul qui reste dans ce coin-là de la *Main*, les autres ont déménagé plus au nord ou ben ont fermé pour de bon. Les Juifs se mêlent de leurs affaires pis nous autres des nôtres, mais je pense qu'y aiment pas tellement l'idée de ce qui peut se passer, la nuit, dans leurs entrées de magasin pis qu'y préfèrent s'en aller. Je les comprends. La *Main*, en tout cas la nôtre, celle entre Maisonneuve pis La Gauchetière, est pas faite pour le tissu à la verge pis les boutons de culottes. Avant, oui, la vieille *Main*, celle que les plus vieux appellent la vraie *Main*, celle qui a été fondée par les émigrants juifs à la fin du dix-neuvième siècle pis qui a duré jusqu'après la guerre, c'te *Main*-là était leur domaine, leur quartier, a leur appartenait quasiment parce qu'y l'avaient mise au monde, mais tout ça a changé avec le développement de la nouvelle *Main*, celle de la petite pis de la grande pègre, celle de l'argent vite faite, vite dépensé, celle des stripteases pis des clubs de nuit *cheap*, celle qu'on a connue, toé pis moé…

Écoute-moé donc aller, chus rendu que j'te fais un cours d'histoire de la *Main* comme si t'étais pas autant au courant que moé de ses nombreuses transformations ! J'te dis, j'y prends goût, à m'écouter parler, pis si ça continue comme ça, on va encore être là demain matin pis j'aurai pas encore fini mon histoire… Ben non, ben non, aie pas peur, fais pas c'te tête-là, j'y arrive, là, au cœur de mon récit à… à… comment on dit ça, déjà… au principal de mon propos ! Ça te surprend que je soye capable de m'exprimer comme je le fais ? Que je connaisse c't'expression-là ? C'est pas parce qu'on se contente de jouer de l'harmonica pour gagner sa vie que ça veut dire qu'on n'a pas de vocabulaire, t'sais ! J'pourrais très bien avoir fréquenté les grandes écoles, avoir été curé ou ben donc un grand avocat, même si ça paraît pas !

Mais non. Chus juste un ignorant. Un vrai. Dans mon cas, on dirait que les mots viennent avec la parole. Quand je dis rien à parsonne pendant des jours, j'ai de la misère à m'exprimer si j'essaye de recommencer, mais là, avec toé, tu vois, plus je parle, plus ça sort facilement…

Bon, la fin de mon histoire, à c't'heure…

Y faut que je te dise d'abord que j'ai toujours eu un faible pour les femmes grassettes. Ça explique peut-être en partie ce qui va se passer pendant cette si belle nuit-là… J'ai toujours aimé les femmes viandeuses, tu comprends, les femmes ragoûtantes, pas les supports à linge ou ben les grandes patères que t'oses à peine toucher parce que t'as peur de te faire mal ; des vraies femmes, ce que j'appelle des femmes O, pas des femmes I, rondes pis voluptueuses, pas raides pis sèches comme des piquets !

Pis Lola, parce qu'y va être beaucoup question d'une dénommée Lola dans ce qui s'en vient, Lola était une des femmes les plus enveloppées de la *Main*. Pas comme la grosse Sophie, celle qui jouait si bien du piano, là, non, les femmes comme la grosse Sophie, les vraies grosses obèses, peuvent pas faire le trottoir, c'est trop fatiquant. C'est plate, parce qu'un temps je la trouvais elle aussi ben de mon goût, la grosse Sophie… Mais Lola… T'sais que c'était son vrai nom, par-dessus le marché, qu'a s'appelait vraiment Lola ? Lola Baillargeon ! De quequ'part dans le bout d'Oka. Sa mère lisait *Intimité* pis *Nous deux*, pis ça a l'air que les gypsies dans ces histoires-là s'appelaient souvent Lola pis qu'a trouvait que c'était un beau nom pour une fille. En tout cas, quand Lola passait devant moé avec sa démarche de lionne, ses deux cents livres de chairs molles pis son sourire dévastateur, les jambes me tremblaient pis y a quequ'chose d'autre qui raidissait, laisse-moé te le dire ! A le savait, la mosusse, pis a en profitait pour me jeter de temps en temps des œillades qui faisaient monter ma température quequ'chose de rare ! C'te femme-là me donnait la fièvre, c'est pas ben ben mêlant, pis une fièvre que j'étais loin de vouloir guérir !

Mais Lola avait un défaut, en tout cas pour les gars de la pègre qui collectaient l'argent avant de la remettre à Maurice-la-piasse… Elle avait commencé à se droguer un peu trop sérieusement à leur goût. Sont drôles, les gars de la pègre… C'est eux autres qui fournissent les guidounes pis les travestis en drogue, mais si y tombent dedans, y les punissent parce qu'y font moins d'argent ! As-tu déjà vu une mentalité pareille, toé ? Avant, quand j'ai commencé à traîner sur les trottoirs du *redlight*, y se contentaient de les bourrer aux goofballs pour les tenir réveillés, ou ben y leur vendaient de l'héroïne à petites doses, mais à partir des années soixante-soixante dix, y a une espèce de *free for all* qui s'est installé dans le quartier, peut-être parce que la drogue était devenue plus facile à trouver, moins chère, pis les gros bras ont laissé du jour au lendemain n'importe qui sniffer, se shooter, fumer… Y a même des gros bras qui sont tombés dedans ! Moé-même, si j'avais voulu, j'en avais qui me passait sous le nez à la soirée longue pis j'aurais pu m'en payer, même avec le peu d'argent que je faisais avec *Le Beau Danube bleu* de Johann Strauss, imagine…

Pis Lola, elle, comme ben de ses consœurs, comme aussi la plupart des travestis avec qui a partageait le trottoir, était tombée dans la coke, la nouvelle mode, le nouveau paradis artificiel qui, en plus, à l'entendre parler, la rendait plus intelligente. J'avais beau y dire que c'était juste une impression qu'elle avait, qu'après avoir jasé avec elle quand est-tait cokée, j'avais pas pantoute le sentiment qu'est-tait plus intelligente mais juste plus bavarde, plus effrontée, plus hystérique… Mais ce monde-là écoute parsonne, pis Lola, ben sûr, faisait pas exception… Des fois, a faisait pitié tellement est-tait droguée. Y m'est même arrivé de la protéger des gros bras de Maurice en la cachant chez nous pendant quequ's'heures. Mais j'ai jamais profité d'elle, par exemple ! Jamais ! J'y ai jamais demandé de me payer, en nature ou autrement, je la respectais trop pour ça ! Ah, a me remerciait, après, a s'excusait, toute, a jurait qu'a recommencerait pus, mais ça aussi, les promesses d'ivrognes, j'en avais trop entendu dans ma vie pour y faire attention… Ça fait que je la laissais repartir en me disant que je la retrouverais dans le même état dans pas longtemps. Pis comme de faite, deux jours plus tard ou ben la semaine suivante, ça recommençait…

Je le sais que c'est long avant que j'arrive au cœur de mon sujet, mais y faut que je me prépare, tu comprends, c'est la première fois que j'ai l'occasion de tout sortir, comme ça, pis je voudrais que ça soit clair, que tu comprennes, que t'acceptes, surtout, de me libérer d'icitte… J'vas quand même être mieux, en haut, avec les autres fantômes du Monument-National, qu'écrasé icitte à me ronger les sangs devant mon verre de boisson, non ? En tout cas, y me semble… Mais j'y arrive… j'y arrive. Pis ce qu'y se passe, là, juste au milieu de mon ventre, ça doit être ça que les acteurs appellent le trac… C'est ben la première fois que je ressens ça, moé qui a pourtant prétendu toute ma vie être un artiste !

D'habitude, je m'installe dans la lumière pour que les passants me voient comme y faut parce que si y entendent juste ma musique, y sauront pas nécessairement d'où a vient pis je risque de perdre de l'argent. Mais ce soir-là, je sais pas, comme j'me sens pas ben, j'me suis réfugié tout au fond de l'entrée du *dry goods*, j'me sus même étendu le long de la porte, la tête sur ma veste que j'ai roulée pour m'en faire un oreiller. J'ai aussi apporté un petit seize onces de rye pour passer le temps parce que je sais que j'aurai pas le courage de jouer de mon harmonica qui, ce soir-là, goûte particulièrement fort le métal rouillé.

J'ai dû m'endormir parce que j'ai entendu des voix avant de voir ce qui se passe. Quelqu'un crie fort, tout d'un coup, une voix d'homme, une voix que je connais, pis une femme y répond en pleurant. Le temps que je me redresse un peu, j'me rends compte que Tooth-Pick, le maudit Tooth-Pick, le chien sale à Tooth-Pick, s'en prend encore à Lola. Y la laissera donc jamais tranquille ? Déjà, la semaine passée, y l'a traînée par les cheveux une bonne partie de la rue Saint-Laurent en y disant que c'tait la dernière fois qu'y l'avertissait, que la prochaine fois elle le regretterait…

Y se sont arrêtés juste devant moi, Tooth-Pick a les deux mains posées sur les épaules de Lola qui, naturellement, droguée comme elle l'est, est pas capable d'y répondre d'une façon sensée. A se contente de pleurnicher en se frottant le nez presque sans arrêter. A saigne souvent du nez, depuis quequ'temps, pis ça écœure certains clients qui sont peut-être allés se plaindre à Maurice.

J'peux pas vraiment en vouloir à Tooth-Pick d'être en calvaire, même si je l'haïs pour le tuer, y a averti Lola des dizaines de fois, a l'écoute pas, a fait à sa tête, a rit de lui dans son dos même si y est son boss direct – y en a ben enduré avec elle parce que c'est une des plus belles filles de la *Main* –, mais je sais ce qui s'en vient, je sais exactement ce qu'y va y faire parce que je l'ai souvent vu étamper des prostituées ou ben des travestis au beau milieu de la rue pour faire des exemples, pis, je sais pas…

Ça t'est-tu déjà arrivé, toé, de parvenir à un point où t'es pus capable d'en prendre ? T'sais, la seconde d'avant, t'avais encore de la patience ou ben de l'endurance, t'étais sûr d'être encore capable d'en avaler pour un bon bout de temps, pis tout d'un coup, y se passe quequ'chose, y a une cassure qui se fait quequ'part en dedans de toé, ça fait un gros *crac* au niveau de ton estomac... pis tu vois rouge ! Ça m'était jamais arrivé, avant, je pourrais même dire que c'est la seule fois que ça m'est arrivé pis que c'est pour ça que je me retrouve icitte, aujourd'hui, avec toé qui as la gentillesse pis la politesse de me faire croire que ce que j'te conte est intéressant...

Avant même que je m'en rende compte, chus debout dans mon entrée de magasin de *dry goods* pis je grimpe dans le visage de Tooth-Pick ! Je sais pas comment j'me sus rendu là, j'me sus pas aperçu que je me levais, que je me jetais sur lui, que je sortais les griffes... (J'garde mes ongles longs depuis des années, pas longs comme ceux des femmes, là, mais assez longs. J'garde mes ongles longs pis très propres parce qu'on les voit bien quand je joue de ma musique à bouche pis que les clients apprécient la propreté chez les personnes comme moé.) Première chose que je sais, je viens de planter mes ongles dans les joues de Tooth-Pick qui se mettent aussitôt à saigner, pis Tooth-Pick, lui, se met à hurler de douleur pis me couvrir d'injures ! J'entends Lola qui me crie de me sauver, de pas rester là, mais chus tellement surpris par ce que je viens de faire, chus tellement content en même temps que terrifié du geste que je viens de poser, que je reste là comme un bébé chevreuil dans les spots allumés d'un char, incapable de bouger... Pis je m'entends dire, imbécile, avec une voix qui est pas la mienne, une voix que j'ai été chercher j'sais pas trop où pis qui sonne quasiment comme celle d'une femme :

« Si tu y touches encore une fois, mon tabarnac, j'te tue ! »

Moé, Willy Ouellette, y dire une affaire de même à lui, Tooth-Pick, le gars le plus dangereux, le plus influent, le plus susceptible du *redlight* ! Faut-tu être fou ! Lui-même en est resté comme assommé, mais pas longtemps. Y a lâché Lola, oui, y l'a laissée se sauver pis c'est ça qu'elle a faite, est disparue en moins de cinq secondes, mais j'ai vite compris que j'allais payer pour elle pis j'ai regardé le petit Hitler de Montréal s'approcher de moé en ricanant. Moé, niaiseux, j'me sus réfugié au fond de l'entrée du magasin au lieu de suivre Lola. Pis c'est ça qui m'a coûté la vie. *La vie*, mon p'tit gars ! J'ai vu la mort se diriger vers moé en riant pis je l'ai regardée dans les yeux pendant qu'a faisait sa job de tueuse. Tooth-Pick est plus grand que moé ; je l'ai vu se pencher, oh, juste un peu, avec le sang qui y coulait dans le visage, le sang noir à cause de l'éclairage au néon pis épais qui commençait à barbouiller son cou pis tacher sa chemise qu'y garde toujours ouverte parce qu'y est fier de son estomac plat pis de ses pectoraux développés.

Chus debout devant lui, j'ai de la pisse qui commence à me couler le long de la jambe gauche, je sais que ça va être la même chose en arrière dans pas longtemps, je vois sa main qui fouille ma poche de chemise, qui en sort ma ruine-babines pis je sais ce qui va se passer. Y m'a menacé assez souvent pour que je devine qu'y va se faire un plaisir de tenir sa promesse, qu'y doit planifier ça depuis un bon bout de temps, l'écœurant, qu'y attendait juste le bon moment pis que c'est moé-même en personne, en fin de compte, qui y a fourni !

J'ai jamais vu des yeux comme les siens. Vicieux, excités, contents. Y est *content* de faire ce qu'y est en train de faire, l'écœurant, pis y me le cache pas. Parce qu'y sait que c'est la dernière chose que j'vas voir dans ma vie, que c'est le dernier souvenir que j'vas apporter… où, au fait ? Y le sait-tu que c'est icitte que j'vas aboutir ? Dans la cave du Monument-National ? Avec des *nobodies* comme moé qui ont pas eu de chance pis qui ont payé pareil ? Non, probablement pas, mais de toute façon ça l'intéresse pas, ce qui l'intéresse c'est de lire la peur qu'y voit en ce moment même dans mes yeux, de sentir la pisse qui coule dans l'entrée du magasin, la marde qui va sortir d'une seconde à l'autre en faisant un bruit d'égout qui se vide, ce qui l'intéresse c'est de me voir m'étouffer sur mon instrument de musique comme y me le promet depuis si longtemps, de me plier en deux, de devenir rouge, violet, bleu avant d'exploser comme une tomate mûre qu'on garroche sur un mur.

Je vois la ruine-babines qui s'approche de ma bouche, ben lentement, comme en *slow motion*, je vois, je regarde la mort qui s'approche pis... sais-tu quoi ? Sais-tu ce que j'ai fait juste au moment de mourir ? J'ai ouvert la bouche ! J'ai ouvert la bouche comme si j'allais recevoir la communion, pis c'est peut-être ça en fin de compte que j'ai reçu ! Je me souviens pas d'avoir étouffé ni d'avoir explosé comme une tomate, je me souviens juste d'avoir reçu la sainte communion pis de l'avoir acceptée comme si c'était inévitable.

Pis ma grande consolation c'est que Tooth-Pick lui-même a abouti icitte lui aussi. Comme n'importe quel autre *nobody*. R'garde, c'est lui, là-bas, le maudit espion dont je parlais tout à l'heure, le barman qui fait semblant de couper ses citrons. Y a fini icitte comme coupeur de citrons pis y le prend pas ! Y est obligé de nous servir à boire, à c't'heure, après nous avoir terrorisés si longtemps, pis y a rien qui pourrait l'humilier autant ! Tant mieux !

Aïe, barman ! Apporte-moé donc un autre rye ! Que je te voye une dernière fois me servir ! Avant que je monte en haut ! Envoye, arrive, dépêche-toé !

J'espère juste qu'y va être obligé de te conter son histoire, lui aussi. Tu vas voir, est pas piquée des vers ! Mais si y te la conte, fais-moé plaisir, pardonnes-y rien pis donnes-y pas l'absolution à lui ! J'veux pas le voir arriver en haut, y réussirait à mettre la marde même au paradis, le maudit ! Pis je veux jouer de ma ruine-babines en paix !

C'est plate que t'ayes pas le droit de venir me reconduire au Musée, parce que laisse-moé te dire que t'entendrais la plus belle musique de ta vie !

J'vas m'installer dans un coin tranquille, là oùsque y aura pas de danger que je dérange parsonne, j'vas sortir ma musique à bouche, j'vas me mouiller les lèvres, j'vas ensuite la mouiller, elle, pis laisse-moé te dire que ce qui va sortir de nous deux, moé pis elle, ça va être beau quequ'chose de rare ! »

V

LA PEAU DE CHAGRIN

Cette fois, j'en étais sûr, la lumière avait bel et bien changé pendant que Willy Ouellette me racontait sa fin à la fois bouffonne et tragique. C'était subtil, à la limite de la perception, mais je m'en suis tout de suite rendu compte. On aurait dit que les couleurs vives, celles qu'on remarque le plus facilement, en fait les couleurs primaires, avaient subi une étrange transformation pendant les quelques heures que j'avais passées au purgatoire du Monument-National. Elles avaient un petit peu pâli, comme un tableau après une trop longue exposition au soleil, j'avais même l'impression qu'elles auraient fini par disparaître si j'étais resté trop longtemps dans la taverne. Toutes les autres nuances de couleurs restant inchangées, un curieux débalancement se produisait dans ce que je voyais en remontant la rue Saint-Laurent. Je me serais cru dans un film trop vieux pour avoir gardé son éclat et sa brillance. Les Québécois, c'est connu, portent beaucoup de bleu et de rouge, et se retrouver dans une rue de Montréal privée de ces deux couleurs était donc une expérience des plus déconcertantes. Du mauve porté par une dame âgée ou le caca d'oie d'un pantalon me sautait soudain aux yeux, ils prenaient une importance prépondérante parce qu'ils n'étaient pas équilibrés par la présence des couleurs primaires, et tout ce qui m'entourait devenait irréel. Je traversais de courts étourdissements, pas désagréables, non, mais inquiétants. Je me revoyais, enfant, au cinéma

Champlain, devant un vieux film américain aux teintes délavées parce qu'on n'avait pas pris soin de la copie. La robe que portait la danseuse avait perdu sa couleur originale, mais son tablier brillait d'une teinte improbable et trop prononcée. J'évoluais tout à coup dans un film aux couleurs passées !

À mon grand étonnement, ça ne m'affolait pas trop. J'aurais dû paniquer, me demander si j'étais malade, si une sorte de fièvre inconnue ne s'était pas emparée de moi, mais je restais très calme, comme si tout ce que je voyais était en train d'arriver à quelqu'un d'autre, quelqu'un qui était moi, bien sûr, il le fallait bien, mais qui était en même temps un personnage de roman ou, justement, le protagoniste d'un film insolite, décoloré exprès, et dont je ne saisissais pas encore le sens. Peut-être aussi parce que j'étais convaincu que c'était un malaise passager, que les couleurs finiraient par reprendre leur éclat coutumier comme la fois précédente. L'explication à tout ça était simple : j'avais trop longtemps été enfermé dans le noir, la lumière du jour me jouait des tours, m'étourdissait, trompait ma perception des couleurs, et mon sens de l'invention faisait le reste.

Puis j'ai pensé à *La peau de chagrin* et au *Portrait de Dorian Gray*. Ça, c'était plus angoissant. Étais-je donc plongé dans une sorte d'histoire fantastique comme celles que j'aimais tant quand j'étais adolescent ? M'étais-je moi-même immiscé dans un *gothic novel* du dix-neuvième siècle sans m'en rendre compte ? Est-ce que je venais vraiment d'entendre la confession de Willy Ouellette, ou est-ce que je l'avais rêvée ? Après tout, j'étais peut-être en train de redevenir fou comme à l'époque de la Cité dans l'œuf, victime d'un délire de l'esprit que je prenais pour la réalité. Tout ce que je ressentais était en même temps concret et invraisemblable. Je ne suis tout de même pas allé jusqu'à me pincer, je me serais senti ridicule, mais le doute, pas la peur, un doute affreux m'est retombé dessus, un doute que je connaissais bien pour l'avoir fréquenté pendant une grande partie de ma vie et qui, par bonheur, m'avait quitté ces dernières années. Le défaitisme des grands malades s'est insinué dans mes veines et il a, comme toujours, en quelque sorte *gelé* ma perception de la réalité. J'étais soudain et sans transition devenu convaincu que j'étais fou et que je devais laisser cette hallucination s'achever par elle-même sans lutter, sans la contrer de quelque façon que se soit, si je ne voulais pas tomber dans une crise plus grave qui mènerait à une autre, puis à une autre encore...

Je savais que si je revenais vers le Monument-National, la porte ne serait plus là, qu'il ne resterait aucune preuve de son existence sauf dans ma tête, et que ma tête, en fin de compte, avait toujours été bien fragile. Par contre, je voulais que tout ça soit *vrai*, que Willy Ouellette, et Gloria la si peu glorieuse, et les autres existent ! Parce que c'était plus beau que mon ordinaire, que mon quotidien si pareil à lui-même, avec ses pauses médicaments et ses longues plages de farniente ? Oui, sans doute. C'était peut-être tout ce que j'avais trouvé pour tromper mon ennui, mais je voulais le vivre jusqu'au bout, j'assumais ma peau de chagrin à moi, j'étais prêt à sacrifier les couleurs de mon environnement si c'était le prix à payer pour retourner à la taverne sous le Monument-National écouter les confidences de ses étranges habitants. Si tout ça n'était que dans ma tête, tant pis, c'était beau et j'y tenais. Et si ma peau de chagrin finissait par se resserrer sous mes doigts, je pencherais la tête et j'attendrais le jugement, quel qu'il soit.

Mon principal souci dans les semaines qui allaient suivre, cependant, mon questionnement le plus sérieux, fut beaucoup plus préoccupant : Comment se faisait-il que les récits que me racontaient les fantômes du Musée étaient *réalistes* alors qu'eux-mêmes évoluaient dans un univers fantastique ? Pourquoi me narraient-ils des histoires crédibles, en tout cas beaucoup plus que le monde dans lequel ils vivaient, si tant est qu'on peut appeler vivre cette pénible situation qui les condamnait à attendre un confesseur pour passer au paradis promis ? Pourquoi ces récits n'étaient-ils pas truffés de fées, de monstres sanguinaires, de dangereux dragons ou de revenants farceurs ou vicieux comme toutes les histoires fantastiques qui se respectent ? Et moi, pourquoi est-ce que j'étais obligé de contourner la réalité, de *changer de monde* pour les écouter ? C'était donc moi qui évoluais dans le fantastique et eux dans la réalité ? Et si tout ça n'était que le produit de mon imagination malade, j'inventais des *souvenirs réalistes* à l'intérieur d'un univers fantastique ? Curieux, non ?

Ne trouvant pas de réponses satisfaisantes à ces questionnements, j'ai fini par régler tout ça, comme d'habitude, dans le sommeil et l'oubli. Et ça a fonctionné. Ça fonctionne toujours dans mon cas. Je dors des journées entières, je me lève à peine pour manger et faire ma toilette, et le problème qui me préoccupait finit par s'effacer en douceur. En fait, c'est faux. Je n'oublie rien, jamais. Mais je fige en quelque sorte mes problèmes dans un coin de mon esprit dont je me suis fait croire depuis longtemps que je n'y avais pas accès et je les laisse planer dans cette espèce de zone d'ombre où je refuse d'aller fouiller en dormant le plus possible. Ce que je prends pour de l'oubli n'est peut-être en fin de compte qu'une façon d'autocensure, je suppose. Pour me protéger. Et Dieu sait que j'avais besoin de protection après les deux premières aventures racontées par Gloria et Willy. Parce que si tout ça provenait de mon imagination, comme le prétendraient sans aucun doute mes docteurs s'il me prenait l'envie de me confier à eux, où est-ce que j'allais chercher tout ça ? Qu'est-ce que ça voulait dire ? De quels besoins, de quelles peurs ces bizarres rencontres avec des créatures de la *Main* émergeaient-elles ? Il me semble que de bonnes grosses histoires remplies de sang et de terreur auraient été beaucoup plus efficaces, si j'avais besoin d'exprimer l'indicible qui m'habitait, que les vicissitudes de pitoyables êtres trop rêveurs et qui se laissaient écrabouiller par le destin sans se défendre ! La Cité dans l'œuf, oui, voilà une équipée qui pouvait expliquer les rouages d'un cerveau déconnecté de la réalité, mais le Miami Beach de Gloria et l'harmonica de Willy Ouellette, franchement, qu'est-ce que ça pouvait bien signifier ?

C'est donc ça que j'avais décidé d'oublier, la trivialité de ce qu'on m'avait raconté dans la taverne, parce que ça ne correspondait en rien à ma vision de ce qui pouvait être fantastique. Ou thérapeutique.

Je ne ressentis pas non plus le besoin de retourner au Musée pendant ces quelques semaines de siestes trop longues et de médications à outrance. Je végétais dans mon lit, je lisais des niaiseries, mais des niaiseries captivantes puisées dans ma collection de science-fiction et de *Heroic Fantasy* choisies parmi ce qui se produisait de plus quétaine et de plus délirant, je regardais en rafales des saisons complètes de séries télévisées sur DVD, et pas des meilleures, je prenais des douches sans fin en pensant, j'imagine, me laver de mon trop-plein de fantasmagories.

Mais un bon matin, nous étions déjà en août et les jours raccourcissaient irrémédiablement, une irrésistible envie de me lever, de traverser la ville et d'aller vérifier si la porte du Musée m'était ouverte me prit au réveil, et j'ai tout de suite su qu'il était inutile de lui résister.

Quelqu'un m'attendait au soubassement du Monument-National pour me livrer sa vie, me demander l'absolution, la rédemption, et je n'avais pas le choix, je devais obéir à son appel.

En m'habillant après une douche cette fois très courte, je me disais je suis fou, je suis fou, j'invente tout ça, je suis toujours dans mon lit et je rêve que le Musée m'appelle… Je continuais pourtant d'enfiler mes vêtements et je savais que j'allais descendre la rue Amherst, tourner à droite sur Sainte-Catherine, à gauche sur Saint-Laurent, pour aller me placer sous la marquise du Monument-National, l'espoir au cœur et les nerfs tendus comme des cordes de violon. Parce que si l'accès au Musée m'était défendu ce matin-là, j'étais convaincu que je ne m'en remettrais pas.

Mon genou me faisant moins mal depuis que je ne sortais presque plus, j'atteignis le théâtre en un temps record. J'eus à peine le loisir de me rendre compte que les couleurs étaient revenues pendant que je n'y pensais plus – les rues rutilaient à nouveau de robes rouge vif, de blue jeans neufs, de chandails jaune canari – et de m'en sentir soulagé.

La porte était là, comme je l'avais pressenti, à la fois invitante et inquiétante.

Un vieux beau m'attendait devant un grand verre de bière. Il portait une sorte de panama à l'ancienne, un peu extravagant pour cet endroit plutôt négligé, et un cache-nez en laine qui lui dissimulait le bas du visage. Ce que je voyais le mieux, c'était ses yeux, deux billes noires et brillantes avec, au milieu, une épingle de lumière fixée sur moi, et peu amènes. Il était très vieux, passé les quatre-vingts ans, mais il se tenait encore droit comme un piquet de clôture et ses sourcils tricotés serré me disaient assez bien qu'il ne devait pas être commode.

Allait-il me raconter sa vie à travers son foulard ?

Après un court moment de silence, je me suis rendu compte qu'il avait, posée devant lui, une petite pile de feuilles de papier qui ressemblait à un manuscrit et sur laquelle il tenait ses deux mains jointes. Il me faisait un peu penser à un principal d'école, du genre à vous juger avant de savoir ce que vous avez fait et à vous condamner pour le simple plaisir.

Je m'étais installé à sa table en lui souriant, mais je sentis vite le goût d'être aimable me quitter. Mes deux premiers prospects s'étaient jetés sur moi pour me confier leurs vies, ils m'avaient reçu comme un envoyé du ciel, un sauveteur, alors que lui ne disait rien et se contentait de me regarder, l'air furieux. Furieux de quoi ? D'être là ? Que ce soit moi qui me retrouve devant lui ? Je ne le saurais jamais si l'un d'entre nous n'engageait pas la conversation – le silence pesant s'étirait entre nous et rien ne semblait vouloir le rompre – et il n'avait pas l'air de vouloir faire les premiers pas. Je me suis donc penché vers lui, son panama, son cache-nez et sa pile de papier, pour demander, en m'étonnant moi-même du ton sec que j'empruntais pour parler :

« Avez-vous quelque chose à me dire, ou si j'ai traversé la moitié de la ville de Montréal à pied pour me retrouver devant un mur de silence ? »

Il a enfin daigné bouger. Il a déplié le bras droit avec une lenteur toute calculée – mettait-il ma patience à l'épreuve ? –, s'est emparé du verre de bière, a retroussé son cache-nez et a bu le liquide jaune au complet en quelques gorgées. Il s'est ensuite essuyé la bouche avec son foulard et je me suis dit que celui-ci devait puer d'une façon abominable si son propriétaire y passait ainsi toujours les lèvres… Des années et des années de bière séchée collée à une vieille laine jamais lavée, quelle horreur !

Il a pris le premier feuillet sur la pile posée devant lui et l'a poussé dans ma direction.

Ça ressemblait à une courte lettre. J'ai aussitôt pensé qu'il était muet, peut-être même sourd-muet, de ceux qui vous tendent de petits cartons imprimés, dans le métro, pour vous demander de l'argent, et j'ai regretté de l'avoir si vite mal jugé. La gêne, peut-être même la honte, l'empêchait de s'exprimer et je me permettais de le juger !

L'écriture était plutôt belle, les lettres amples, bien formées, et même la couleur de l'encre était agréable. (Si je me souviens bien, on appelait cette teinte *South Sea Blue*, quand j'étais enfant, et il était défendu de s'en servir pour faire nos devoirs parce que c'était trop « artistique »… J'avais donc affaire à une sorte d'« artiste » ?)

J'ai parcouru le petit mot en plissant de plus en plus le front tant il était étonnant. Voici ce qu'on pouvait y lire :

Mon nom est Valentin Dumas (prononcer Dumass, comme s'il y avait deux s) et je ne peux pas parler parce que j'ai perdu ma langue, il y a longtemps, dans un regrettable incident. Vous devrez donc lire ma confession plutôt que l'écouter. Sachez cependant que je trouve humiliant autant que ridicule de me voir dans l'obligation de déverser tout ce que contient ma vie devant un inconnu dont je ne sais même pas s'il est capable de comprendre ce que j'ai à raconter. Je l'aurais volontiers fait pour l'un de mes confrères, un artiste comme moi, un autre acteur, français si possible parce que ce pays est rempli d'ignares heureux de l'être, mais je ne sais rien de vous, je ne veux rien savoir, et je me soumets à cette règle absurde dans le seul but de sortir d'ici, même si ce qui m'attend là-haut, je m'en doute bien, risque de ne pas être plus excitant que ce que j'ai trouvé ici depuis si longtemps. J'ai fréquenté le Monument-National pendant des années, j'y ai connu des triomphes et quelques insuccès, et le talent que j'ai pu y détecter ne m'a jamais particulièrement impressionné. Excusez ma franchise, mais cela a toujours été à la fois ma force et mon point faible. Je ne puis non plus vous souhaiter bonne lecture puisque je ne sais pas si vous avez envie de me lire… Après tout, vous n'avez peut-être pas plus envie de me lire que j'en ai, moi, de me confier à vous.

J'avais deux choix : lui lancer sa missive insultante au visage et quitter la taverne sans lui laisser quelque espoir de rémission ou, par pure curiosité, tendre la main vers son manuscrit pour voir ce qu'avait à raconter cet insupportable prétentieux que je soupçonnais d'être l'un de ces réfugiés français d'après-guerre – il en avait l'âge – qui ont quitté leur pays sous divers prétextes pas toujours avouables et qui ne se sont jamais intégrés à la vie québécoise qu'ils jugeaient arriérée. Ce en quoi ils avaient en partie raison, mais il me semble qu'il y a d'autres façons de faire savoir son point de vue qu'à travers le mépris et le sarcasme. Ils se sentaient supérieurs à nous et n'ont jamais imaginé que nous puissions nous aussi avoir notre orgueil. De toute manière, l'orgueil de simples habitants d'une ancienne colonie, ces fameux cousins du Canada, ne les aurait pas intéressés, engoncés qu'ils étaient dans leur supériorité.

La curiosité l'a bien sûr emporté et j'ai fait signe à Valentin « Dumass » qu'il pouvait me passer son manuscrit.

VI

L'HISTOIRE DE VALENTIN DUMAS, LE FRANÇAIS QUI AVAIT PERDU SA LANGUE (DEUX FOIS)

Je suis arrivé à Montréal durant les années cinquante, via Marrakech et New York. C'est un parcours qui peut surprendre mais dans ces années-là, quand on se trouvait comme moi dans l'obligation de quitter la France précipitamment en raison de ragots qui pouvaient vous défaire une réputation en quelques heures, les destinations étaient parfois vite choisies, le principal étant de débarrasser le plancher, et vite. On disait de moi que j'avais d'un peu trop près fréquenté la Gestapo durant la guerre, que j'avais même eu un amant nazi – ce qui aurait expliqué mon début d'embonpoint de l'époque –, qu'en plus j'avais vendu des amis juifs pour sauver ma peau et tant d'autres choses difficiles à prouver mais faciles à répandre et qui ont fait que j'ai rapidement senti le besoin d'aller rouler ma bosse ailleurs. Si j'avais été une femme, je me serais retrouvée avec les cheveux très courts, si vous voyez ce que je veux dire. Combien de femmes qui ne le méritaient pas ont connu cette humiliation, de 44 à 47 ? Faudrait voir…

J'ai d'abord choisi Marrakech à cause de la chaleur, mais j'ai détesté ce climat étouffant et je n'ai tenu que deux ans comme sociétaire d'une compagnie de théâtre professionnel ayant pour noyau des réfugiés français qui, comme moi, essayaient d'apporter au Maroc, en vain, dois-je dire, un peu de culture. La communauté française de Marrakech était tolérable, mais le reste… J'ai aussi quitté cette ville après un scandale, mais ça c'est une tout autre histoire.

J'ai donc débarqué à New York au début des années cinquante. Mon anglais étant plus qu'approximatif, j'ai eu de la difficulté à me trouver du travail comme acteur. J'aurais pu traverser le pays au complet, me rendre jusqu'à Hollywood, mais deux acteurs français, Maurice Chevalier et Louis Jourdan, prenaient déjà toute la place, et les autres, ceux qui, comme moi, sans vouloir devenir des vedettes avaient tout de même assez d'orgueil pour tenir à gagner leur croûte en exerçant leur métier, se voyaient souvent obligés de servir aux tables dans les restaurants chic entre deux tournages trop espacés pour leur assurer une existence respectable. N'ayant pas du tout envie de me retrouver nez à nez avec Maurice ou Louis alors que je leur servirais un repas gastronomique en tant que garçon de table – Maurice, je l'avais bien connu pendant la guerre et *lui*, croyez-moi, était coupable d'une grande partie de ce qu'on me reprochait à moi –, j'ai décidé de me tenir loin de Hollywood et de tenter de gagner ma vie à New York malgré tout. Je faisais peu d'argent – des rôles de cuisiniers ou de secrétaires français à Broadway, un ou deux succès Off Broadway dans des personnages à accent –, mais la vie dans ce qui ne s'appelait pas encore la Grosse Pomme était facile à ce moment-là et j'arrivais tant bien que mal à surnager.

Je m'étais fait des amis qui avaient quitté la France pour les mêmes raisons que moi, nous hantions les mêmes endroits, surtout un restaurant de la 47e rue, Le Rhône, tenu par une forte Savoyarde au franc-parler mais au cœur d'or. Elle nous servait pour presque rien des délices de sa Savoie natale qui n'arrangeaient en rien mon problème de tour de taille. Nous fumions des Gitanes sans filtre et nous parlions de retourner à Paris en triomphateurs après nos futurs succès new-yorkais. Paris pardonne tout au succès, c'est connu. Voyez Maurice Chevalier, justement… Ou Édith. Ou Arletty. Mais les années passaient et très peu d'entre nous réussissaient à réaliser leur rêve. La barrière de la langue étant trop importante pour moi, je n'arrivais pas à percer et je ne me voyais pas passer le reste de mon existence à répéter sans fin sur la scène des choses comme « Madame est servie ! » ou « Hou là-là, quel tra-la-la… » dans des comédies ineptes ou des drames bourgeois.

C'est alors que j'ai rencontré un homme charmant natif de la ville de Québec, un véritable chansonnier coureur de jupons qui faisait dans de petits cafés des monologues assez amusants auxquels les New-Yorkais de France étaient sensibles parce qu'ils leur rappelaient les repaires de chansonniers parisiens, et qui interprétait, mal, mais peu importe, des romances françaises, d'autres canadiennes, quelques-unes même de son cru, si je me souviens bien. Son nom était Jacques Normand. On n'aurait jamais cru qu'il n'était pas Parisien, tant son accent était authentique, et il me fit de sa province, le Québec, un portrait si flatteur, si prometteur – après tout on y parlait d'abord et avant tout le français ! – que j'ai fini par me laisser convaincre d'aller rejoindre là-bas un vieux copain à moi, Henri Norbert, qui, semblait-il, connaissait une carrière très respectable à Montréal où le théâtre était florissant et la télévision naissante en grand besoin de talents dans tous les domaines. Surtout le mien.

Monsieur Normand, que j'ai d'ailleurs peu fréquenté après mon arrivée ici, nos horaires ne concordant presque jamais et ma réputation m'ayant rattrapé, m'avait parlé en particulier du Théâtre du Rideau Vert, une troupe qui, semblait-il, accueillait à bras ouverts les acteurs français nouvellement débarqués à Montréal. Les directrices, mesdames Brind'Amour et Palomino, avaient à cœur de jouer le répertoire international et étaient toujours à la recherche d'interprètes de talent avec le bon accent. Je suis donc allé frapper à leur porte dès mon premier jour au Canada et j'ai en effet été reçu avec chaleur par ce groupuscule de fervents francophiles impressionnés par l'arrivée d'un Français de New York (j'avais quelque peu embelli la carrière que j'y avais connue, c'est vrai, mais c'était de bonne guerre, ils auraient fait la même chose à Paris). Je suis d'ailleurs assez rapidement passé de nouveau venu à vedette-maison, un peu grâce à mon physique particulier et à mon don pour le comique. La compagnie rivale, le Théâtre du Nouveau Monde, avait déjà son comique, une ancienne connaissance à moi, Guy Hoffman, dont j'appréciais assez peu le jeu peu subtil et qui ne pouvait pas me supporter à cause de mon passé supposé, et ces dames du Rideau Vert se cherchaient un comique-maison. J'ai donc fait ma niche au Théâtre du Rideau Vert tout en postulant à la télévision où, me disait-on, il y avait beaucoup d'argent à faire quand on réussissait à y pénétrer. Ce qui se révéla tout à fait exact. Avec l'aide de camarades bien placés, je me retrouvai vite devant la caméra avec des cachets plus que respectables.

Je vais passer par-dessus ces années bénies où tout était possible parce que tout, les troupes de théâtre, la télévision, était nouveau dans cette ville en perpétuel changement et assoiffée de culture. J'ai tout joué et partout : Anouilh, Ibsen, Molière et Racine à la télé, les comédies à la mode plus quelques Lorca au Rideau Vert, des téléromans idiots et mélos du cru où un lointain oncle français – moi, ou Henri Norbert, ou Gaston Dauriac – venait parfois embrouiller la trame de l'histoire. Je ne pouvais quand même pas me briser la mâchoire pour essayer de jouer un Canadien ! J'ai même chanté dans une épouvantable production des *Mousquetaires au couvent* ici même, au Monument-National, sous la direction de l'insipide Lionel Daunais et, une année, j'ai eu l'honneur de jouer dans un magnifique Shakespeare monté par un génie méconnu, Pierre Dagenais. Je gagnais enfin ma vie comme acteur, je faisais beaucoup d'argent. Mais j'étais prisonnier de mon milieu.

Car je dois avouer que, un peu comme au Maroc, quand on quittait la communauté culturelle, l'ignorance crasse et la vulgarité qu'on trouvait dans cette province de Québec, pas encore baptisée la Belle Province, étaient plutôt décourageantes : un peuple inculte à l'accent à couper au couteau, mélange de vieux français hérité de Louis XIV et d'anglais de bas niveau, une société basée sur la foi sans questionnements et la peur irraisonnée de l'enfer, intolérante et obscurantiste et étouffante, des comportements dictés par un contrat social incompréhensible pour un Européen un tant soit peu évolué, partout la laideur et une pauvreté entretenues par une religion tyrannique et bornée. J'y ai fait des rencontres d'ordre sexuel des plus satisfaisantes, oui, bon, mais nos affaires terminées, il était impossible, je dis bien impossible, d'avoir une conversation convenable aves ces lointains cousins trop longtemps enfermés dans le silence et le déni de la culture et qui, aussitôt rhabillés, sombraient dans la culpabilité la plus primaire, la plus désolante, et un silence déprimant.

Tous mes confrères français étaient d'accord avec moi, il fallait rester entre nous, se fréquenter entre soi, c'était le prix à payer pour être vedette dans une ville ignorante. Ce que je fis. Pendant des années. Le couronnement de tout ça se produisit le jour où j'ai été nommé professeur au Conservatoire d'art dramatique parce que cela me permit de rencontrer enfin des jeunes gens qui, même s'ils venaient du peuple, même s'ils n'avaient connu que cette pauvreté intellectuelle dont je viens de parler, et parfois à cause de cela même, avaient l'ardent désir de s'en sortir, de changer de camp en quelque sorte, de s'élever, de troquer leur accent de province contre celui de Paris et de paraître à nos côtés sur les scènes montréalaises sans qu'on sente la moindre différence entre nous et eux. C'était bien sûr impossible, quelques-uns cependant y parvenaient presque et devenaient les chouchous des amateurs de vrai théâtre. Je pourrais les nommer, mais ils sont malheureusement tombés dans l'oubli, renversés sans ménagement par la génération suivante qui préparait dans l'ombre la révolution la plus laide et la plus révoltante de l'histoire du Canada.

Comme l'avait dit François Rozet, l'un de mes collègues professeur au Conservatoire : « J'aime pas la soupe aux pois ! » Et c'est pourtant la soupe aux pois qui mijotait en coulisse, une soupe aux pois qu'on nous ferait avaler de force et qui serait notre perte.

On ne peut pas imaginer l'horreur que nous avons ressentie quand s'est produite la soi-disant révolution culturelle à la fin des années soixante ! Ce déferlement de jargon inarticulé qui envahissait tout, et qui nous repoussait dans la marge, nous qui nous efforcions depuis si longtemps de relever le niveau culturel de cette ville tout à coup ingrate et sans mémoire, était non seulement inconcevable mais, par-dessus tout, scandaleux !

Nous sommes allés, quelques amis et moi, jusqu'à organiser des rencontres pour essayer d'analyser ce qui se produisait, comprendre le pourquoi de cette envahissante laideur tombée nous ne savions d'où, cette réaction nocive à tout ce qui était beau et véritablement culturel, rien n'y fit ! Nous sommes restés pantois devant tant de grossièreté et quelques-uns d'entre nous ont même décidé de repartir pour Paris. Nous, nous ne le fîmes pas parce que nous continuions quand même à bien gagner notre vie, mais grande était notre consternation.

Nous nous étions battus toute notre vie pour le grand théâtre, celui des passions dévorantes et des personnages démesurés, celui de la langue magnifiée par le vers ou l'incomparable poésie des mots, et nous nous retrouvions tout à coup aux prises avec des ménagères et des travestis mal embouchés ! J'ai été l'un des premiers à protester. J'ai couru les studios de radio et de télé pour crier mon dégoût, j'ai affronté cette génération de chevelus prétentieux qui croyaient tout inventer parce qu'ils reniaient ceux qui étaient venus avant eux, j'ai été insulté en direct, on est même allé jusqu'à me suggérer de retourner dans mon pays si je n'étais pas content ! Après quinze ans de service ! Oui, j'ose dire de service parce que cette ville nous devait, à moi et à mes camarades, Français ou Canadiens, une vie culturelle respectable malgré son éloignement du centre géographique et intellectuel de la francophonie (un autre mot inventé par cette détestable génération). Nous avions été au service de la culture et on voulait maintenant se débarrasser de nous comme si nous étions désormais des dinosaures inutiles juste bons pour l'abattoir.

Et c'est à ce moment-là, un malheur n'arrive jamais seul, que se produisit l'incident qui allait changer ma vie à tout jamais, plus encore que l'apparition sur les scènes de la classe ouvrière et de ses problèmes qui n'intéressent personne.

Il me faut d'abord avouer que j'ai toujours eu un grave défaut, un vice caché qui me posait souvent de graves problèmes : je suis joueur. Je joue gros, je perds gros et il m'arrive de connaître quelque difficulté à remettre ce que je dois. Jeune, je m'amusais à me faire croire que j'étais apparenté aux personnages de Dostoïevski, mais leur destin était vraiment trop sombre pour moi et j'ai vite cessé de me comparer à eux de peur de me voir tomber comme eux dans la déchéance. Je voulais bien les jouer mais pas les vivre… Aujourd'hui, cependant, je pourrais me prévaloir de cette ressemblance parce que mon destin, noir et injuste, peut aisément se comparer au leur et pourrait se retrouver sans problème dans une grande œuvre littéraire.

Aussitôt débarqué à Montréal, je m'étais donc informé des lieux où l'on jouait et on m'avait dirigé vers les fameux *blind pigs* de la *Main*, ces endroits anonymes, souvent des arrière-boutiques ou des greniers d'établissements commerciaux, où se rencontrent depuis toujours, dans toutes les grandes villes du monde, la racaille pégreleuse et la haute aristocratie pour échanger des billets de banque dans une atmosphère surchauffée d'alcool frelaté et de cigarettes bon marché. On appelle cela s'encanailler ? Eh bien, je m'encanaillais !

Comprenez-moi bien, Montréal n'était pas encore une grande ville – le sera-t-elle jamais ? –, mais sa vie cachée, son paysage clandestin ont toujours été très vivants, à ce qu'on m'a dit, et rien n'était plus facile que d'y perdre en une seule nuit son salaire, présent et futur, et même sa fortune au complet. Dostoïevski, encore…

J'ai passé là, au milieu d'êtres pitoyables et désolants que je ne croyais jamais retrouver ailleurs que sur une scène transposés par la plume sublime de Brecht ou de Beckett, des moments de joie pure et des périodes de dépression navrantes. J'ai manipulé des fortunes importantes que je voyais presque aussitôt disparaître dans la fumée de cigarettes et les relents de corps mal entretenus. Des femmes trop maquillées sont venues se frotter à moi pour aussitôt m'abandonner quand la chance me quittait, et je me suis retrouvé plus souvent qu'à mon tour seul au petit matin avec un mal de tête effroyable et des dettes dont j'ignorais comment je pourrais un jour me sortir.

Et c'est justement l'une de ces dettes qui fut la cause de ma déchéance. J'y perdis une deuxième fois ma langue, après l'envahissement de la scène par ce monstre nommé joual, mais cette fois au sens littéral.

J'avais beaucoup joué au poker cette année-là, plus que d'habitude, et je devais une somme énorme à Maurice, le maître absolu de la petite pègre du *redlight* de Montréal, un fou furieux qui n'engageait que des fous encore plus furieux que lui pour faire sa sale besogne. Je m'étais donc retrouvé un beau jour dans l'incapacité de payer mon loyer ou même de m'acheter un simple paquet de Gauloises, sans compter ce que je devais aux différents *blind pigs* des alentours du boulevard Saint-Laurent. Totalement lessivé. Au point que je me retrouvais dans l'obligation d'aller travailler à pied. Je jouais alors pour un cachet de crève-faim un Anouilh au Rideau Vert, *Becket, ou l'honneur de Dieu*, si je me souviens bien, et je devais traverser chaque soir une grande partie de la ville pour m'y rendre. Westmount est quand même très éloigné du Plateau-Mont-Royal et il me fallait marcher près d'une heure et demie. J'arrivais au théâtre déjà fatigué, mes camarades se demandaient pourquoi je ne sortais plus avec eux… Le bruit que j'étais peut-être malade commençait même à courir dans les coulisses des différents théâtres de la ville. Alors, pour la première fois, en plus de l'argent que je devais déjà, je suis allé emprunter au principal shylock de Maurice, Tooth-Pick, son âme damnée, de qui j'avais pourtant appris à me méfier depuis longtemps, une somme qui me permettrait de passer à peu près à travers le mois. En tout cas à travers mes sorties avec les acteurs de la distribution de *Becket*, si je voulais éviter qu'ils me questionnent de trop près. Et à condition, bien sûr, de ne pas aller la jouer au poker.

Et, bien sûr, je l'ai jouée. Au poker. On dit souvent qu'au fond les *gamblers* jouent pour perdre. Dans mon cas, c'était vrai cette fois : je savais que j'allais perdre le seul argent que j'avais pour survivre – on était en fin de saison, les télévisions se faisaient rares et l'argent n'entrait qu'au compte-gouttes – et je me suis tout de même retrouvé, à peine quelques jours après mon emprunt, dans le trou le plus mal famé de la *Main*, une liasse de dollars à la main et un cigare aux lèvres, moi qui n'ai jamais pu supporter les cigares. Mais ils étaient une preuve de richesse et de pouvoir dans ce milieu et je voulais montrer, tout en sachant que je ne ferais pas illusion plus de cinq minutes, que j'étais de nouveau au-dessus de mes affaires et que j'avais les moyens, sinon le désir, de flamber tout l'argent que je voulais. J'ai en effet flambé tout l'argent que j'avais, mais pas parce que je le voulais.

Et lorsqu'on a fini par me mettre à la porte de l'établissement qui sentait la sueur et la bière – je n'avais plus un sou et personne ne voulait me faire crédit –, la première personne que j'ai croisée sur le trottoir de la rue Sainte-Catherine fut Tooth-Pick lui-même, avec son éternel cure-dents planté dans la bouche et son perpétuel rictus qui vous donnait toujours l'impression qu'il en savait plus que vous pensiez et qu'il guettait la moindre occasion de vous sauter dessus et vous démolir. Ce qui était sans doute vrai, parce qu'il se tenait au courant de tout ce qui se passait dans le quartier et se trouvait toujours prêt à sévir, même quand ce n'était pas le temps, même – et peut-être surtout – quand c'était injuste. Tooth-Pick était un dangereux psychopathe à qui on avait malheureusement fourni les armes pour satisfaire ses dangereux penchants, et il en profitait depuis de longues années, assuré grâce à la protection de Maurice de n'avoir jamais à payer pour quelque crime que ce soit.

En m'apercevant, il m'a arrêté d'un geste de la main et a posé un doigt, un seul doigt, au beau milieu de mon front en me disant, toujours souriant, toujours mâchonnant son maudit bout de bois :

« Oubliez pas, monsieur Dumasssss, l'intérêt de votre petite dette doit aboutir dans ma poche dans deux jours… Ça me fait rien, moé, mais si j'étais à votre place, je commencerais à ramasser mes cennes noires pour essayer d'en faire des piasses ! »

Insulte suprême, il parlait justement cette langue abominable qui venait d'envahir la scène et contre laquelle je me battais depuis des mois. Il aurait pu sortir tout droit d'une de ces détestables pièces, il en avait l'allure autant que le bagou, et s'il n'avait pas été Tooth-Pick et s'il ne m'avait pas fait si peur, je lui aurais rien fait. Sur sa façon ridicule de s'habiller et de s'exprimer. Mais voilà, c'était Tooth-Pick et il fallait que je me montre prudent.

Surtout que l'intérêt dont il parlait était honteusement élevé, scandaleux, et qu'il savait très bien que je n'en avais pas le premier sou. La peur l'a donc emporté sur la révolte et je me suis éloigné, tête basse et dos voûté, comme un chien puni.

Il a attendu trois semaines avant de me prendre en chasse – j'évitais soigneusement de m'approcher de la *Main*, j'étais même parti à la recherche des *blind pigs*, rares, du Plateau-Mont-Royal pour assouvir un peu mon besoin de jeu – et a mis à peine vingt-quatre heures pour me trouver.

Nous répétions un ennuyeux Roussin que personne d'entre nous ne trouvait drôle et l'atmosphère, au Rideau Vert, était plus à l'ennui qu'à l'enthousiasme au sujet du nouveau spectacle. *Becket* avait bien marché, mais ces dames les directrices avaient grandement besoin d'un bon gros succès populaire pour renflouer leurs goussets. D'où l'atmosphère de tension qui régnait pendant nos séances de travail.

En sortant de la salle de répétition, une fin d'après-midi où tout avait mal fonctionné, les acteurs bafouillant à qui mieux-mieux et madame Brind'Amour bégayant plus que jamais, j'ai trouvé Tooth-Pick qui m'attendait en compagnie de deux de ses gros bras, un certain Georges Delorme et un autre que je n'ai jamais connu que sous le ridicule sobriquet de Dum-Dum. J'ai tout de suite su que l'heure de payer, de quelque façon que ce soit, était venue, qu'il ne servait à rien de vouloir résister, que le destin me rattrapait après des années de chance. Je me suis vu mort, assassiné – Tooth-Pick s'était souvent vanté devant moi d'avoir un tableau de chasse plutôt bien garni –, on me retrouvait la gorge tranchée ou une balle dans le cœur au fond d'une arrière-cour de la rue Gilford, les manchettes des journaux proclamaient en première page qu'une vedette du Théâtre du Rideau Vert avait été abattue par la pègre, mon nom était sali à tout jamais dans un scandale de bas étage, le souvenir de mon passage à Montréal terni à jamais.

Flanqué de ses deux gardes du corps, Tooth-Pick souriait comme le font les lâches qui se savent protégés, qui peuvent tout se permettre parce qu'ils sont plus nombreux que l'adversaire et que l'absolue conviction qu'ils vont gagner en recourant à la tricherie et l'injustice les fait ricaner de plaisir.

« Long time no see, mister Dumasss ! »

Mes camarades avaient froncé les sourcils. Qui pouvaient bien être ces trois étrangers qui venaient m'accueillir, me cueillir plutôt, devant la porte de la salle de répétition ? Ceux qui avaient deviné ma faiblesse depuis longtemps s'étaient éloignés sur la pointe des pieds de peur d'être mêlés à une histoire scabreuse, madame Brind'Amour, pour sa part, tête heureuse comme elle l'était, ne voyait rien de menaçant chez eux et s'était présentée, charmante, en les traitant comme de vieilles connaissances :

« Les amis de Valentin sont nos amis. Vous venez prendre un pot avec nous ? »

J'ai décliné l'invitation à leur place avant que Tooth-Pick, pour ajouter l'insulte à l'injure, se mette dans la tête de nous suivre au Mont-Royal Barbecue où nous avions depuis longtemps installé nos pénates.

« Non, Yvette, excusez-moi, mais j'avais oublié de vous dire que j'avais rendez-vous avec ces messieurs après la répétition… »

Le sourire de Tooth-Pick s'était élargi comme ceux des chats vicieux dans les dessins animés américains. Et il avait pris une espèce d'accent, ce qu'il prenait sans doute pour un accent français, mais qui relevait plutôt du serbo-croate ou du roumain :

« Cé vré, maname, nus avions rendez-vous avec môssieur Dumasss… »

Elle est partie de ce rire de gorge qu'elle réservait aux moments de malaise où elle ne savait que répondre parce qu'elle ne comprenait pas au juste ce qui se passait, et nous nous sommes éloignés, les trois fripouilles et moi, vers la rue Mont-Royal pendant qu'elle retournait au théâtre cueillir son manteau qu'elle avait laissé dans sa loge plus tôt dans l'après-midi.

Une ruelle coupe la rue de Grandpré au sud de Gilford, et c'est là que m'ont emmené Tooth-Pick et ses deux acolytes. Je me disais que j'allais sortir de là avec une jambe cassée – c'était l'une de leurs spécialités pour dette non remboursée – ou alors que je ne serais pas beau à voir pour la générale de la pièce de Roussin, la semaine suivante, le maquillage n'arrivant pas à masquer les bleus sur mon visage et mes yeux enflés. Si c'était là le prix à payer pour mon retard, je n'y pouvais rien et je me laissai entraîner sans piper mot, tête basse et mains dans les poches. Je n'avais pas le premier sou de l'intérêt de ma dette, il fallait bien que j'en accepte les conséquences, aussi désagréables fussent-elles.

Mais j'ignorais que ce qui m'attendait était bien pire que tout ce que j'aurais pu imaginer.

Arrivés au croisement de la prochaine ruelle qui, elle, se dirigeait vers le sud, donc en direction de la rue Mont-Royal, les trois canailles me poussèrent dans un de ces monstrueux escaliers extérieurs qui font l'orgueil de Montréal, allez savoir pourquoi. Je les ai pour ma part toujours trouvées affreuses, ces protubérances accrochées maladroitement aux maisons, et ridicule cette façon que les Montréalais ont de les défendre… Les deux fiers-à-bras me poussèrent donc sur les premières marches en me retenant par les épaules pendant que Tooth-Pick sortait de la poche intérieure de sa veste d'habit un simple coupe-ongles avec lequel il se mit à se décortiquer les cuticules. Un grand soulagement m'envahit : je n'étais peut-être pas là pour connaître une punition, après tout. Ils voulaient juste me faire peur, me donner une bonne leçon. Je leur jurerais ce qu'ils voudraient, je me mettrais à genoux, s'il le fallait, je pleurerais en bon acteur que j'étais, et je retournerais ensuite rejoindre mes camarades au Mont-Royal Barbecue en oubliant tout ça. Ils croiraient m'avoir fait peur et rentreraient dans leur trou comme des rats dans un égout.

Ce qui m'attendait est difficile à décrire. J'en tremble encore. Si Tooth-Pick m'avait coupé la langue au complet, s'il l'avait extirpée de ma bouche comme un objet superflu après l'avoir tranchée et jetée à la poubelle, je me serais peut-être rendu au bout de mon sang et je ne serais pas là aujourd'hui pour écrire mon histoire qui ne serait en fin de compte que banale, mais son geste fut infiniment plus sadique et avec des séquelles plus dévastatrices.

Il s'est penché sur moi et m'a demandé de sortir la langue. J'ai refusé, croyant qu'il allait me l'arracher d'un seul coup et me regarder ensuite saigner en riant. Il a alors dit à ses deux compagnons de me faire sortir la langue et la minute qui suivit – coups de pieds au bas-ventre, coups de poings au visage, claques du revers de la main, crachats – fut l'une des plus longues et des plus pénibles de ma vie. Et lorsque Tooth-Pick m'a redemandé de sortir la langue, je n'avais plus le choix si je ne voulais pas que la séance de torture recommence.

C'était un gros coupe-ongles en métal aux mâchoires qui me semblaient tout à coup trop mena-çantes pour que je puisse les regarder s'approcher de ma bouche. J'ai donc fermé les yeux en devinant confusément que ce qui allait suivre changerait le cours de ma vie. La douleur fut loin d'être fulgurante, cependant, un simple petit *snip* suivi d'une sensation qui ressemblait à une brûlure. Je rentrai aussitôt la langue dans ma bouche et rouvris les yeux pendant que ma gorge se remplissait de sang. Tooth-Pick tenait le bout de ma langue entre son pouce et son index, un petit morceau de chair d'à peine un petit centimètre, mais qui venait de faire de moi un handicapé à vie.

Il a ensuite ouvert la bouche et avalé le bout de ma langue en souriant, sans le mâcher.

« Essaye de faire l'acteur, à c't'heure, Valentin Dumasss ! T'aimes pas notre façon de parler, tu vas partout chier sus notre accent pis dire à qui veut l'entendre qu'on est juste une gang d'ignorants mal embouchés pour ensuite venir nous demander de te faire crédit pour nourrir ton vice ? Ben, tu vas en avoir tout un, accent, à partir d'aujourd'hui ! Tu vas être condamné à jouer les niaiseux avec un défaut de langue ! Y a eu Valentin-le-désossé, là y va y avoir Valentin-le-zozoteux ! Pis ta dette vient d'être doublée, maudit Français à 'marde ! »

Pouvez-vous imaginer, vous qui me lisez, ce que cela représente pour un homme comme moi, un acteur, un perfectionniste de la langue française, de se mettre à zozoter du jour au lendemain ? Imaginer, oui, peut-être… Mais le vivre !

Je n'ai jamais reparlé en public. J'ai écrit des lettres à madame Brind'Amour et à quelques-uns de mes amis, leur expliquant que j'avais eu un accident bête qui me laissait infirme, le mettant sur le compte de l'alcool et de ma stupidité, et je suis resté enfermé chez moi pendant des mois, victime d'une profonde dépression. Après avoir consulté de nombreux médecins qui ont tous confirmé que c'était irréversible, que j'aurais désormais un cheveu sur la langue ou même pire – Tooth-Pick avait tué la dernière chance que j'aurais eue de m'en sortir en avalant le bout de ma langue qui se trouvait ainsi impossible à greffer –, j'ai pris la résolution de ne plus jamais ouvrir la bouche pour parler et je m'u suis tenu. Oui, je suis resté muet depuis près de quarante ans. Oh ! Il m'arrivait parfois de commander de vive voix quelque chose au restaurant quand j'étais certain que ni le serveur ni les autres clients ne savaient ou ne se rappelaient qui j'étais, mais même avec les plus intimes de mes connaissances, je n'ai jamais rouvert la bouche, préférant leur pitié à la moquerie que j'aurais pu lire dans leurs yeux si je les avais laissés entendre une seule fois ce qui sort de moi. Cela siffle, cela zézaie, on dirait qu'il me manque des dents et que ma langue s'accroche un peu partout dans ma bouche. Ma voix reste toujours la même, profonde, grave, belle, mais déformée, caricaturée par ce malencontreux défaut, ce sifflement désagréable et ridicule qui peint tout ce que je dis en effets grotesques et bouffons qu'on ne pourrait jamais prendre au sérieux.

Si j'étais resté acteur, j'aurais été condamné, comme Tooth-Pick l'avait prédit, à jouer des rôles comiques pour lesquels je n'étais pas fait, des valets efféminés, des faibles d'esprit, des personnages bouffons de spectacles pour enfants. Jouer un zozoteux une fois, oui, c'est payant pour un grand acteur qui veut montrer sa versatilité, mais toute sa vie être obligé d'en faire une spécialité, non !

Et lorsque je suis ressorti de chez moi au bout de quelques mois, prenant mon courage à deux mains pour essayer d'aller me trouver du travail quelque part dans le but de gagner mon pain, je ne savais pas que le pire était à venir.

J'avais oublié ma dette que Tooth-Pick avait doublée au lieu de l'effacer. Il m'a donc fait savoir très rapidement la somme exacte de ce que je devais – une somme faramineuse vu mes retards accumulés à cause de ma dépression – et je me suis vite retrouvé entre ses mains, une de ses créatures, pourrait-on dire, obligé de travailler pour lui, exécuter à sa place les besognes les plus viles et les plus répugnantes. J'avais vu ce dont il était capable et je n'avais pas l'intention d'y goûter de nouveau. J'ai donc transporté des cadavres au milieu de la nuit, que j'allais jeter dans le fleuve l'été ou dans des ruelles reculées l'hiver, j'ai menacé des pauvres filles de rue de mon couteau puisqu'elles auraient ri si je leur avais parlé, j'en ai battu, oui, je l'avoue, en silence et en pleurant, pour éviter de l'être moi-même. J'ai aussi très souvent porté des paquets suspects dont je n'aurais pas voulu connaître ni le contenu ni le destinataire et parcouru pendant des heures les rues du *redlight* à la recherche d'une pauvre victime à qui je pourrais arracher une quelconque « protection » qui, selon le jargon du milieu, désignait un simple droit de passage exigé des nouveaux venus pour aller ensuite les donner à Tooth-Pick.

Et tout ça pendant que je gagnais tant bien que mal ma vie comme magicien dans les divers clubs de nuit de la *Main*, parce qu'il fallait que je rembourse ma dette en argent en plus de rendre à Tooth-Pick ce qu'il appelait « de petits services » qui mettaient pourtant assez souvent ma vie en danger.

J'avais appris des tours de magie très primaires pendant la guerre, des trucs amusants qui faisaient sourire les spectateurs des Folies Bergères ou du Lido – oui, en grande partie des nazis et de belles Françaises qui acceptaient de collaborer avec eux pour garder leurs privilèges et leurs bas de soie – ou des grands bordels que fréquentaient certains artistes de variétés pas encore vedettes, mais qui le deviendraient rapidement grâce à leurs relations douteuses. J'ai donc repris ces tours, j'en ai appris de nouveaux en m'abonnant à des périodiques spécialisés, je me suis confectionné un costume ressemblant à celui du Mandrake des bandes dessinées américaines et me suis lancé dans le circuit des clubs de nuit du *redlight* sous le nom de Valentine the Divine. Et j'ai remis chaque dollar, chaque sou à Tooth-Pick. Je n'étais plus jamais en retard, j'avais mon enveloppe bien cachée dans mon costume de magicien chaque vendredi soir et chaque vendredi soir Tooth-Pick, la personne que je haïssais le plus au monde, dont je souhaitais le plus la mort, se présentait à l'établissement où je me produisais pour toucher son dû. Il tenait ses comptes dans un petit calepin noir, toujours pareil aux précédents – il se les procurait dans une papeterie de la rue Sainte-Catherine où une vendeuse n'arrivait jamais à régler au complet sa dette de drogue –, et il rayait chaque vendredi soir la petite somme que je lui donnais en bougonnant parce qu'il trouvait que ça n'allait pas assez vite.

C'est ainsi que j'ai pu fréquenter tout ce que la *Main* pouvait produire de soi-disant artistes, la plupart du temps des sans-talent à la tête enflée qui se prenaient pour la fin du monde, mais qui n'auraient pas fait trois semaines ailleurs en ville : Gloria, la star déchue qui n'avait jamais été star de sa vie mais qui prétendait avoir fait carrière à Miami Beach, Carmen, qui avait voulu lancer une révolution avec des chansons « à texte » qui n'étaient que de mauvaises traductions de mauvaises chansons western américaines et que Tooth-Pick avait assassinée dans sa douche avant qu'elle ne devienne vraiment dangereuse, la Duchesse de Langeais, qui n'avait comme talent que son bagou mais qui s'en servait comme d'une arme nucléaire, et tous ces pauvres comiques qui ne faisaient rire personne et qui se réfugiaient dans la grimace et le mime grotesque pour soutirer un petit sourire à un public d'alcooliques qu'ils n'intéressaient en aucune façon. J'ai aussi côtoyé la belle Peach Blossoms, connue plus tard sous le nom de Madame Veuve, la plus belle femme que j'aie vue dans toute ma vie, un corps parfait sous une tête de linotte. Et que les prostituées de la *Main* vénèrent maintenant sous le nom de sainte Veuve des Congères. Je les ai tous vus arriver, se démener, repartir. Pendant que moi je remettais sou par sou, avec une patience d'ange, l'argent que je devais à celui qui continuait, année après année, à me harceler et à rire de moi. Je ne suis jamais retourné au Rideau Vert, j'ignore ce que sont devenus mes anciens camarades, qui est mort, qui est toujours vivant, et je suis désormais plongé à vie – suis-je seulement vivant – dans ce joual que baragouinent mes compères de la taverne et auquel je ne me suis jamais fait. Seule consolation : je n'ai pas eu à vivre le triomphe de la laideur et de la vulgarité sur le beau et le noble.

Et je n'ai plus jamais joué au poker. Le besoin se faisait toujours sentir, bien sûr, une passion ne s'efface pas si facilement, mais la peur qui m'habitait, la peur de Tooth-Pick et de son imagination retorse, me retenait, même si je savais que lui aurait voulu me voir chuter pour mieux me garder entre ses griffes. J'y pense encore aujourd'hui, j'en rêve même parfois, penché sur mon verre de bière. (J'entre dans un *blind pig*, les poches pleines et la tête haute, je lance sur la table une liasse d'argent qui fait pâlir les autres joueurs... Valentin Dumas est de retour, et cette fois il ne ressortira pas de l'établissement avant d'avoir lessivé tous ceux qui oseront l'affronter... J'en ressors riche, libre, lavé de toute dette et de toute souillure, l'avenir m'appartient, je suis de nouveau jeune, fort et le grand répertoire international m'attend. Aujourd'hui Audiberti, demain Tchekhov et, quand je serai vieux, le *Lear* de Shakespeare !)

Si je vous disais que c'est parfois ce rêve qui me fait supporter cette éternité d'attente qu'on nous fait endurer ici ?

Lorsque j'ai débarqué à la taverne du Monument-National, oh ! il y a de ça très longtemps, la première personne que j'ai aperçue fut justement le maudit Tooth-Pick qui avait disparu depuis quelque temps et dont on disait qu'il avait peut-être enfin goûté à sa propre médecine, tant pis pour lui et bon débarras. De sous-fifre de Maurice, de second et confident, il était passé barman, mais pas n'importe lequel, barman-espion, barman à la solde du propriétaire de la taverne sous le Musée, parce que cette personne, ou cette entité, si elle existe, ne s'est pas encore montrée. Et je suis ici depuis longtemps. Tout ce que nous savons c'est que ce n'est pas Maurice. Mais qui peut se trouver au-dessus de Maurice ? Tooth-Pick est donc désormais espion par choix, par plaisir, puisqu'il n'a personne à qui rapporter les ragots qu'il glane en faisant semblant de couper ses citrons. Maurice-la-piasse, puisqu'il est aussi question de lui, est semble-t-il passé directement de la *Main* au Musée sans avoir à endurer le lent supplice de ce purgatoire où le temps passe plus lentement qu'ailleurs et où un seul désir anime ceux qui l'habitent, se confesser pour en sortir. Privilège de patron, sans doute… Ceux qui mènent continuent à s'entraider, même dans l'au-delà, pendant que les estafettes se battent entre elles pour attirer leur attention.

Je suis donc assis en face de mon ancien tortionnaire depuis des décennies, j'endure encore ses sarcasmes et son sourire vicieux tout en vieillissant devant un verre de bière auquel je ne touche que rarement. Parce que là se trouve la pire punition de cet endroit maudit : on y vieillit comme ailleurs, mais sans espoir de jamais mourir.

Si vous me regardez monter l'escalier, tout à l'heure, pour me rendre au Musée, dites-vous bien que ce qui m'attend là-haut n'est guère plus excitant que ce que je vis ici : croyez-moi, la perspective de passer le reste du temps qui m'est accordé – l'éternité existe-t-elle ? – en compagnie de Lionel Daunais et de Gratien Gélinas n'est pas des plus réjouissantes.

VII

LA COULEUR DU TEMPS

Cette fois, en débouchant sur le trottoir de la rue Saint-Laurent, j'avais l'impression d'être prisonnier d'un Rembrandt. L'atmosphère autour de moi était devenue huileuse, un courant visqueux de couleurs brunâtres burinées par les ans, vieillies par le soleil, couvrait tout ce qui m'entourait, et on aurait dit que le temps lui-même avait ralenti, pas comme au cinéma, on était loin du *slow motion*, mais juste ce qu'il fallait pour créer une certaine gêne. J'évoluais dans un univers pourtant familier mais désormais baigné d'ombre et de mystère dans lequel je me retrouvais tout à coup en visite autant qu'à la taverne du Monument-National. J'étais un étranger dans mon propre monde rendu méconnaissable, et j'en ressentais un étrange malaise.

Tout était différent. Les passants, en plus de cette lenteur dont ils étaient soudain frappés, arboraient, du moins me semblait-il, des mines bizarres et des gestes étudiés. J'étais convaincu qu'ils savaient qu'ils faisaient partie de ce tableau vivant peint autour de ma sortie par la porte dérobée du Musée de la *Main*, qu'ils avaient été engagés comme figurants et que quelqu'un les attendait, quelque part au nord et au sud de la rue Saint-Laurent, pour leur dire que le peintre n'avait plus besoin d'eux et leur donner leur salaire. Étrange paranoïa, me suis-je dit. Pourquoi me retrouverais-je, moi, au centre, d'un tableau de la grande époque hollandaise ? Je me suis appuyé contre le mur pour réfléchir à tout ça – la porte avait disparu au moment même où j'étais sorti du couloir entre les deux bâtisses –, mais toute concentration était impossible, j'étais trop pris par ce qui m'arrivait pour pouvoir l'analyser.

J'ai cru avoir rêvé, que je dormais dans mon lit, assommé par les médicaments, que Valentin Dumas n'avait été qu'une vision, un caprice de mon imaginaire comme les deux autres avant lui, que j'étais prisonnier d'un très long rêve que je prenais pour la réalité, que j'allais me réveiller au printemps dernier, épuisé et trempé de sueur, parce que l'été que je venais de vivre n'avait pas existé. Tout était pourtant réel, j'aurais pu parler aux passants, si j'avais voulu, aller vérifier si les hot dogs du Montreal Pool Room étaient toujours aussi gras, prendre l'autobus ou un taxi… Un rêve peut-il être aussi réaliste ? Non. Le monde était donc tel qu'il l'avait toujours été, c'était la perception que j'en avais qui était transformée de subtile façon chaque fois que je sortais du Musée. Je perdais au terme de mes visites un peu plus des couleurs qui m'entouraient et je commençais à me demander si je n'étais pas atteint d'une maladie dégénérative qui me menait à petites touches vers la cécité. Mais les couleurs revenaient toujours à la normale après un certain temps, non ? Le Musée agissait-il donc comme catalyseur entre ce que je vivais à l'intérieur de la taverne et ce que j'en transportais à l'extérieur ? J'apportais avec moi pour une certaine période de temps une part de cette zone d'ombre de ma vie que représentait ce monde fantastique que je croyais côtoyer même si c'était impossible, je la mélangeais à mon quotidien pour me convaincre que tout ça, les récits qu'on me confiait autant que les citrons de Tooth-Pick, était réel ? Je m'étais trop souvent demandé au cours de ma vie si je n'étais pas fou pour que cette pensée ne remonte pas une fois de plus à la surface. Diagnostiqué depuis longtemps, oui, bourré d'antidépresseurs, soit, mais continuellement convaincu du contraire, j'étais toujours prêt à partir en guerre pour prouver mon intelligence et ma stabilité. Mais comme me l'avait dit plus d'un médecin au cours des années, la folie est rarement une question d'intelligence et la stabilité peut cacher un important et dangereux déséquilibre.

En fait, j'étais toujours perdant : si j'allais mieux, on me disait que c'était passager, si j'allais mal, que c'était normal.

J'ai donc traversé Montréal revue et corrigée par Rembrandt à petits pas prudents, noyé dans des teintes de brun et de rouge sang, guettant autour de moi des taches de normalité que j'aurais pu saisir de la main, des trous de réalité par lesquels j'aurais pu me glisser pour retrouver le monde tel que je le voulais, tel qu'il avait été si longtemps avant qu'entre dans ma vie ce Musée du diable qui nous ramenait, moi et ma tête, à une époque que j'avais crue révolue et que j'avais tant essayé d'oublier.

Le Rembrandt m'ayant suivi jusque chez moi, le parc Lafontaine, pourtant si vert à cette époque de l'année, ressemblait à une forêt dévastée par une maladie mortelle. Tout était brun, rouge ou jaune, surtout brun, celui, mêlé de gris, de la fin de l'automne, les mêmes courants d'huile visqueuse barraient le ciel, les nuages étaient du plomb massif qui menaçait à tout moment de tomber sur le paysage pour l'écraser.

Je me suis encore une fois enfermé chez moi en me jurant de ne plus retourner au Musée, mais je savais très bien que j'en étais captif, peut-être à tout jamais, qu'il exerçait sur moi une fascination trop grande pour que je puisse lui résister, que tôt ou tard, malgré moi, une force supérieure aux miennes me ferait reprendre le chemin de la rue Saint-Laurent pour aller retrouver ses trésors empoisonnés, ma nouvelle drogue.

J'ai déjà échappé à la mort une fois, il y a longtemps, lors de l'incendie de la maison de mon père, à Outremont, qui a suivi de près mes aventures dans la Cité dans l'œuf – on a prétendu que j'y avais moi-même mis le feu dans mon délire paranoïaque, mais je n'en gardais aucun souvenir et rien n'a pu être prouvé, sauf ma folie, bien sûr –, et je me méfie depuis cette époque des passions soudaines qui s'emparent de moi à intervalles réguliers et qui prennent une importance telle qu'elles peuvent à la limite mettre ma vie en danger. En fait, c'est surtout à ça que servent mes médicaments : à me contrôler quand une nouvelle idée fixe risque de me dominer, de me contraindre. Oui, je suis à ce point sensible aux fixations, aux emballements, aux extases de toutes sortes, et je dois me surveiller sans cesse si je ne veux pas sombrer dans des lubies ridicules qui vont m'entraîner là où je ne veux pas aller. Je suis donc devenu avec le temps un véritable freak du contrôle de soi *with a little help from my friends* Paxil, Prozac, Effexor, des noms de démons qu'on croirait sortis d'un grimoire du Moyen Âge et qui cachent des poisons chimiques puissants dont mon cerveau a désormais besoin pour ne pas déraper.

Jusque-là j'avais réussi à les contenir, ces passions, à les endiguer, même les plus anodines, de façon à ne pas avoir à les affronter quand elles deviennent trop importantes, mais avec la taverne sous le Monument-National, je vivais pour la première fois depuis longtemps une situation plus forte que moi qui m'asservissait sans que j'y puisse rien.

De longs jours filèrent, donc, avant que le monde autour de moi reprenne ses couleurs ordinaires. Grâce à mes pilules de toutes les formes et de toutes les couleurs – qu'elles avaient perdues, comme le reste, mais que je reconnaissais parce que je pratiquais ces médicaments depuis si longtemps que je pouvais les distinguer au seul toucher –, j'ai vu le jaune pisseux et le vert sale des fins d'automne quitter peu à peu le parc Lafontaine. Mes meubles, les tableaux accrochés aux murs, mon poste de télé surtout, que je ne regardais plus parce que toutes les émissions semblaient me parvenir du début de la télévision en couleur tant les teintes de l'image étaient délavées, tout a retrouvé son apparence d'origine. L'huile en stries liquides qui badigeonnait le ciel s'est enfin délayée en un beau bleu automnal et j'ai accueilli le 21 septembre avec soulagement. Je suis moins influençable en automne, les pleines lunes ne sont pas aussi ratoureuses qu'en été et les nuits fraîches me permettent de dormir de façon presque normale.

Le matin où, au réveil, j'ai retrouvé mon monde tel que je le souhaitais, je me suis regardé dans le miroir et je me suis juré – oui, je le sais, encore, pauvre garçon, il se fait des illusions – qu'on ne m'y reprendrait plus.

C'est drôle comme on peut être sincère chaque fois qu'on se fait à soi-même un serment qu'on sait impossible à tenir, qu'on se prodigue des conseils qu'on ne suivra pas parce qu'on n'est pas assez fort ou qu'on prend des décisions illusoires en se disant cette fois, c'est la vraie, ça y est, j'y suis, j'ai non seulement la motivation mais aussi la force d'y parvenir… Les fumeurs en sont un parfait exemple. Ou les esclaves du cul. Je ne suis ni l'un ni l'autre, mais mes passions – peut-on parler de rêveries fiévreuses, d'hallucinations détraquées ? – sont tout aussi puissantes, et j'ai le droit, comme tout le monde, de me mentir devant mon miroir quand le besoin s'en fait sentir. Je me suis donc menti dans la petite glace qui surplombe l'évier de ma salle de bains parce que j'avais besoin de me convaincre que je ne risquerais plus que les couleurs du temps qui m'entoure se mettent une fois de plus à délirer. De peur de rester à tout jamais prisonnier d'un tableau flamand ou, qui sait, d'une période de l'histoire de la peinture que je n'ai jamais appréciée.

Ça me coûterait bien sûr mes visites au Musée, ces confessions que je n'avais pas voulues mais qui me galvanisaient et m'exaltaient comme je ne l'avais plus été depuis longtemps, depuis, en fait, j'y reviens toujours, ma visite dans cette Cité maudite à la fin de mon adolescence. Étais-je condamné à hanter des mondes qui n'existent pas pour les autres humains et à payer ensuite un prix exorbitant pour une situation que je n'avais en rien provoquée ? Le principal était que ce jour-là j'étais convaincu d'être revenu de façon définitive dans le monde normal et que j'allais y rester. Au fond, je n'y croyais guère, mais là, à ce moment précis, nu à côté de ma douche, j'ai apprécié, le cœur allégé, mon retour à la réalité.

Comme mon incartade suivante s'est déroulée la nuit, je pourrais toujours prétendre que je l'ai rêvée ou que j'ai été victime d'une crise de somnambulisme, mais je serais le dernier à le croire, d'autant que l'hématome que j'ai longtemps porté au côté, résultat de mon escapade nocturne, me rappelait chaque fois que j'y touchais que j'avais vraiment vécu cette nuit.

Novembre achevait d'écheveler les arbres, les jaunes, les rouges, les ors avaient depuis un bon moment quitté les branches pour se retrouver sur le sol en une couche de feuilles brune et sèche. Le déprimant hiver arrivait avec son manque de subtilité coutumier. On avait retiré les bancs des allées du parc, il y avait moins de promeneurs. Même les gays semblaient éviter les rafales de vent qui parcouraient chaque nuit les pelouses désertes pour aller se réfugier jusqu'au printemps dans le Village qui porte leur nom, en bas de la côte Sherbrooke.

Une lune froide s'était levée ce soir-là, déjà une lune d'hiver, d'un blanc immaculé à cause du manque d'humidité dans l'air. Autant j'aime les lunes d'été – que j'ai qualifiées plus haut de ratoureuses –, complices de tant de jeux défendus, de tant d'errements coupables, autant je me méfie de celles d'hiver, qui ne laissent au fond du cœur qu'une espèce de terreur inquiète en même temps qu'une envie de fuite. J'espère que ceux qui ont les moyens de migrer vers le sud chaque hiver y retrouvent les lunes jaunes et réconfortantes auxquelles ils aspirent, en plus de la bienfaisante chaleur…

Je m'étais couché tôt après avoir regardé quatre épisodes d'une série américaine sur DVD, et j'avais peur d'en rêver comme ça m'arrivait de plus en plus souvent. Si je lis avant de m'endormir, je rêve dans le style de l'auteur ; si j'écoute de la musique, je l'entends une partie de la nuit ; si j'ai le malheur de trop regarder la télévision, je suis plongé dans des aventures abracadabrantes de corps mutilés et de belles-mères psychopathes en qualité de médecin-légiste fou ou de policier sur le retour, alcoolique et solitaire. Cette nuit-là, j'avais découvert un cadavre en petits morceaux dans une allée du parc Lafontaine, un corps méconnaissable que j'essayais tant bien que mal de recoller tout en chantant, à tue-tête et en anglais, le dernier succès de Céline Dion dont j'avais vu pour la première fois la nouvelle vidéo plus tôt dans la soirée…

Comme lors de ma première visite dans la Cité dans l'œuf, c'est la lumière de la lune qui m'a tiré du sommeil. Elle se trouvait au centre exact de ma fenêtre et les nuages qui passaient devant donnaient l'illusion qu'elle avançait plus vite que d'habitude, comme si elle avait eu un rendez-vous important quelque part en direction du mont Royal. Mon Lapin blanc à moi, me suis-je dit… Il faisait étrangement clair dans ma chambre, tout était teinté d'argent et, là aussi je pourrais mettre ça sur le compte de l'imagination ou de la sensibilité exacerbée par un réveil trop brutal et une lune brillante à l'excès, j'ai entendu d'une façon très distincte – après tout, c'est un bruit familier –, une porte grincer. Je n'ai pas eu peur, je n'ai pas pensé qu'un voleur venait de forcer l'entrée de mon appartement, non, j'ai juste compris – eh oui – que ça recommençait malgré mes bonnes résolutions, que le trou dans le mur venait de s'ouvrir pour moi en pleine nuit, que quelqu'un là-bas dans la taverne peinte sur le mur d'une cave du *redlight*, une autre créature de la

Main, avait besoin de se confier et que c'était moi, et personne d'autre, qu'on attendait.

Je me suis rhabillé en vitesse sans même me poser de questions et je me suis retrouvé, tout excité, en train de dévaler l'escalier extérieur de ma maison sans avoir pris la peine d'attacher les boutons de mon blouson de cuir. Le froid m'a aussitôt donné le frisson et je me suis boutonné en attendant mon taxi.

En été, la *Main* est le royaume de la nuit, tout y est possible et on peut tout y trouver, des paradis artificiels aux femmes artificielles, en passant par la mauvaise nourriture et les mauvaises surprises. Mais l'hiver, la vie nocturne est cantonnée à l'intérieur, à cause du froid, et la rue Saint-Laurent, vidée de toute activité – même les guidounes ne la sillonnent plus, entre novembre et avril, elles ont gagné ça depuis la disparition de Maurice-la-piasse –, redevient une artère ordinaire, peut-être juste un peu plus large que les autres, où rien d'intéressant ne semble se produire. L'été, la *Main* s'affiche ; l'hiver, elle se cache.

Arrivé devant le Monument-National, j'ai demandé au chauffeur en lui tendant un vingt dollars :

« Excusez-moi, monsieur, mais voyez-vous la petite porte pratiquée dans le mur du théâtre, là, à droite ? »

Il m'a regardé comme si je sortais d'une boîte de Cracker Jacks.

« Bon, un autre qui a trop bu… »

Un bizarre énergumène m'attendait à la taverne, un être ni homme ni femme, une espèce de fantoche vêtu d'un paquet de vieux chiffons sales qui pendaient autour de lui et tombaient sur ses jambes cagneuses, mal perruqué et trop maquillé, un travesti, bien sûr, mais qui ne payait pas de mine et qui s'en fichait, c'était évident. Il avait à peu près mon âge, était maigre comme un clou, affublé d'un nez improbable, gros, rond, long, les yeux trop rapprochés, les lèvres peintes en grenat, et il fumait en tenant sa cigarette comme le font les vieilles femmes ou les vieilles folles, le coude plié, raide, l'index et le majeur de sa main droite, jaunes et sans doute malodorants, serrés sur le clou de cercueil, l'œil droit à moitié fermé pour éviter la fumée. Revenu de tout. Mais pas blasé. Une étrange flamme dansait au fond de ses yeux et je me disais qu'il devait être terrible quand il se fâchait. Il m'a regardé m'approcher, m'asseoir devant lui, et est parti d'un rire indéfinissable qui se situait quelque part entre la moquerie et la résignation.

« C'est vous, le chanceux ? Ben, *fasten your seat belt*, comme disait Bette Davis dans *All about Eve*, *it's gonna be a bumpy ride !* »

VIII

L'HISTOIRE DE JEAN-LE-DÉCOLLÉ, L'HOMME-FEMME QUI AVAIT PERDU SA TÊTE (DEUX FOIS)

« Vous m'avez l'air d'un homme cultivé, vous. En tout cas, vous avez pas l'air d'un ignorant. Savoir qu'on m'a envoyé un ignorant pour m'écouter me déprimerait au plus haut point. Non pas que je sois cultivé plus qu'y faut moi-même, mais j'ai assez longtemps enseigné la littérature quand j'étais frère enseignant pour avoir des connaissances respectables et une conversation qui a du bon sens. J'ose pas vous demander si *vous*, vous avez une conversation qui a du bon sens, vous êtes pas là pour me parler, mais pour m'écouter…

J'vas quand même commencer par vous poser une question. Vous êtes pas obligé de me répondre, vous pouvez juste me faire signe que oui ou que non. Faites-vous-en pas, on est pas à la petite école, je vous ferai pas passer d'examen, juste un petit test, tout petit, pour voir à qui j'ai affaire et si j'vas vraiment vous conter ma vie ou me contenter de me la réciter à moi-même à voix haute en oubliant que vous êtes là… Ou bien vous êtes quelqu'un qui peut comprendre ce que j'ai à dire, ou bien vous êtes juste là pour me permettre d'aller rejoindre les autres en haut. D'une façon ou d'une autre, chus obligé de vous dévoiler une grande partie de mon histoire, mais j'aimerais pouvoir penser qu'y a quelqu'un au numéro que j'ai composé, si vous voyez ce que je veux dire… J'veux bien, à la rigueur, parler dans le vide, mais j'aime mieux le savoir d'avance.

Connaissez-vous *Lysistrata* d'Aristophane ? Vous me faites signe que oui, c'est rassurant. Vous êtes la première personne que je rencontre depuis des années qui connaît ça. D'habitude, surtout ici, sur la *Main*, où le mot culture est pris pour une insulte, ceux à qui je pose cette question-là se tricotent les sourcils ben serré en pensant que je parle chinois. Y a une réplique au début de cette pièce-là qui a toujours fait ma joie. *Lysistrata* dit à un moment donné, j'pense que c'est à sa voisine, vous voyez, une simple conversation entre femmes : « Je suis femme, il est vrai, mais une femme de tête ! » Deux mille cinq cents ans avant Pauline Julien ! J'essayais d'expliquer à mes étudiants à quel point c'était une réplique extraordinaire pour l'époque, mais les répliques vieilles de deux mille cinq cents ans les intéressaient pas beaucoup, vous pouvez vous en douter... Moi, après mon accident, après que j'aie défroqué et troqué ma robe de frère enseignant contre celle de guidoune pratiquante, j'm'amusais à dire à qui voulait m'entendre : « Je suis femme, il est vrai, mais un homme sans tête ! » Ça faisait beaucoup rire ceux qui savaient que quelqu'un, un fou, un autre frère de ma congrégation, un compagnon de la moumounerie, avait failli un jour me trancher la gorge par amour et par jalousie. R'gardez ma cicatrice. Voyez-vous ? Encore plus impressionnante que celle d'Elizabeth Taylor ! Elle, elle a été opérée pour la gorge, moi, j'ai failli être égorgé. Un peu plus, le couteau planté juste un peu plus profondément, là, et le frère Jean-Baptiste serait jamais devenu Jean-le-Décollé. Oui, mon pseudonyme de travesti est un rappel de l'horreur dont je me sus sorti de justesse... Le métier de guidoune est un métier dangereux et je voulais porter un nom qui me le rappellerait sans cesse pour m'éviter de m'embarquer dans des histoires trop scabreuses.

Mais c'est pas ça que j'veux vous conter, ça c'est de l'histoire ancienne, et ce qui nous intéresse, en tout cas ce que j'ai envie de décrire, là, maintenant, c'est ce qui s'est passé ici, dans le *redlight*, au moment de ma disparition. Vous permettez que je m'allume une autre cigarette ? Celle-là commence à me brûler les doigts. La cigarette m'aide à penser et l'écran de fumée à cacher mes rides.

J'pense pas vous avoir jamais vu dans le coin, vous avez donc aucune idée de qui je suis, hein ? Comment je pourrais vous expliquer ça, donc… Hé ! que c'est bon, une nouvelle cigarette ! C'est comme le commencement de tout ! C'est quand même fantastique de pouvoir tout recommencer en neuf aux dix minutes, vous trouvez pas ? Vous fumez pas ? Tant pis pour vous, vous savez pas c'que vous manquez… Pour en revenir à ma petite personne, disons qu'avec le temps, beaucoup de patience et grâce à des aptitudes que les autres avaient pas, j'étais devenu en quelque sorte le coryphée des prostituées de la *Main*, les vraies femmes comme les imitations. Vous connaissez aussi le mot coryphée ? Oui ? Bon, je continue. J'étais si on peut dire consultante en histoires d'amour malheureuses autant qu'en conseils de beauté – quand je parle de moi au féminin, comme ça, c'est qu'y est question du personnage, pas de la personne –, j'étais aussi le trait d'union entre les patrons et nous, en fait la représentante de tout ce qui vend son cul dans le quartier, pour éviter que Maurice-la-piasse et ses complices dans le crime exagèrent sur le pain bénit et abusent trop de nous autres. J'étais celle qui se tient devant les autres quand y a confrontation, la mère poule qui essaie tant bien que mal d'apaiser ses ouailles, la pasionaria qui grimpe aux barricades même quand y en a pas.

J'ai grimpé aux barricades plus souvent qu'à mon tour, croyez-moi, et ça m'a jamais rien apporté. Sauf, c'est sûr, l'admiration et le respect des autres folles comme moi qui se laissent embarquer dans la gaffe en pensant que c'est un moyen facile de faire ben de l'argent et qui se retrouvent la plupart du temps devant rien ni personne, avec un cœur handicapé à vie et une âme morte. Mais ça, vous l'avez entendu des centaines de fois au cinéma, en littérature, au théâtre, dans des œuvres beaucoup plus sublimes que le simple récit que chus en train de vous concocter…

Mais comment une personne comme moi, un ancien frère enseignant, un professeur de littérature émérite et bardé de diplômes, a pu aboutir ici, me demanderez-vous, au milieu des femmes et des hommes qui vendent leur corps pour gagner leur vie ? Et pas toujours bien ? C'est simple. Je devais payer pour mes péchés. Nombreux et, oui, des fois honteux. Je devais me mortifier. Expier. Montrer ma contrition et m'infliger à moi-même une pénitence méritée. Choisissez le terme que vous préférez, y va être bon. J'avais choisi le cul pour réparer mes fautes de frère-mets-ta-main repentant. Le contraire des saints qui, c'est du moins ce qu'essayait de nous faire croire la maudite religion catholique, devenaient parfaits pour réparer leurs fautes à eux et se rapprocher de leur Créateur. Les plus grands saints ont d'abord été des pécheurs, qu'on nous disait. Moi, je pensais autrement. J'avais été fautif et j'avais failli payer de ma propre tête, je descendrais plus bas, je deviendrais dans ma propre tentative de tendre vers la perfection une guenille qu'on se passe de main en main pour s'essuyer. Tout pour pas suivre les directives de la religion tant détestée. La perfection par le bas, vous connaissez ? Le négativisme du genre proche parent du masochisme ? C'est tout moi en deux mots. J'ai jamais voulu être une belle femme, un travesti excitant, parce que je voulais me taper ce qu'y avait de plus vil et de plus bas. Mais croyez-moi, croyez-moi pas, j'me suis quand même payé quelques-uns des plus beaux morceaux de la clientèle du quartier et peut-être même de la ville ! Mon image à faire peur attirait certains beaux hommes, probablement de ma trempe, et j'ai traversé des nuits paradisiaques, mon cher monsieur, paradisiaques. Mais j'ai bien peur que mon Créateur se bouche le nez quand y va me voir arriver.

Tout ça pour vous dire que j'étais en quelque sorte la guidoune en chef du quartier du *redlight* et que ça faisait pas de moi la personne la plus populaire auprès de ceux qui dépendaient de l'argent qu'on gagnait et pour qui on travaillait jamais assez fort ni assez longtemps. Quand une fille avait un problème, c'est moi qu'a venait voir, c'est moi qui m'expliquais avec les boss, qui recevais les insultes – les coups, eux, allaient quand même directement à elle, ça faisait partie de la game – et le verdict, toujours trop sévère, toujours injuste, parfois même scandaleux. J'étais la représentante d'un syndicat qui existait pas.

Y faut dire aussi que j'ai toujours eu mon franc-parler et que je me gênais pas, jamais, pour dire ce que je pensais. Autant à Maurice lui-même, quand y m'arrivait de le croiser, qu'à ses estafettes, même les plus dangereuses, même Tooth-Pick. Quand j'en pointais un du doigt et que je commençais ma première phrase par : « Écoute-moi ben, mon p'tit gars », y savaient qu'y avait un orage qui s'approchait et y me laissaient le crachoir. Ça donnait pas toujours les résultats que je voulais, ben sûr, y en a qui riaient de moi en pleine face ou qui faisaient semblant de pas m'écouter. Maurice, lui, faisait celui que ça amusait, comme ça, en passant, mais aucun d'entre eux prenait jamais la chance de m'interrompre ou de partir avant que j'aie fini de m'exprimer ! Oui, même lui, même le grand boss ! C'était une entente tacite dans le *redlight* au complet : quand Jean-le-Décollé parlait, en son nom ou celui de quelqu'un d'autre, on l'écoutait.

J'ai peut-être l'air de vouloir me donner de l'importance, je vois à vos yeux que vous commencez à me prendre pour une mégalomane, mais n'empêche que mon nom était respecté dans le quartier et par tout le monde ! Les commerçants comme les putains ! Enfin, tout le monde, c'est vite dit... Y en a toujours un, c'est évident, qui aime ça se démarquer des autres, qui résiste, qui veut faire le smatte et qui te met des bâtons dans les roues par pur plaisir de nuire...

Ben oui, c'est ça. Ce quelqu'un-là vous le connaissez, y était déjà pas mal présent dans les récits que les autres vous ont contés avant moi, la terreur de la *Main* pendant trop longtemps, le maniaque fou prêt à tout détruire, des vies humaines comme de simples os, le psychopathe surprotégé par son boss parce qu'y en sait trop et que l'édifice de la petite pègre au complet risquerait de s'écrouler si par malheur y décidait de tout dire à la police ou aux journaux. Tooth-Pick. Le vrai boss de Maurice, en fait, pas son assistant. Oui, je pense que Maurice était autant prisonnier de Tooth-Pick que nous autres, qu'y en avait aussi peur et qu'y le laissait faire à sa tête pour avoir la paix. Sans compter les suppositions qui couraient au sujet de leur relation, mais ça, ça a jamais été prouvé et personne, même moi, aurait osé en parler ouvertement, de peur de se retrouver au fond du fleuve avec un bloc de béton autour des chevilles. En tout cas, jusqu'au soir fatidique que j'vas vous conter plus tard...

Tooth-Pick, trop beau pour être honnête, avait été *boy toy* au début de sa carrière, ça, tout le monde le savait, y avait baisé à peu près tout ce qui bougeait, y avait même laissé derrière lui une ribambelle de cœurs brisés, des barmen, des barmaids, des travestis, des guidounes *straight*, même un policier de la CUM, mais Maurice, lui, avait toujours eu des blondes parmi les plus belles femmes de la ville – Carmen, par exemple, la meilleure chanteuse country que Montréal a jamais connue –, et insinuer que son amitié avec Tooth-Pick était du genre particulier aurait été un crime de lèse-majesté payable en *cash* et dans l'immédiat. On se contentait donc de murmurer des choses entre nous, ça nous faisait du bien et, après tout, c'était peut-être vrai.

Vous serez donc pas surpris d'apprendre que les relations entre Tooth-Pick et moi étaient pour le moins tendues. Y en a qui disaient qu'y voyaient des étincelles revoler, quand on se croisait tous les deux, et que chaque fois, après trois ou quatre pas, Tooth-Pick se retournait pour me lancer un *dirty look* tout en continuant de mâcher son maudit petit bout de bâton. Ses intentions étaient évidentes : me détruire avant que je trouve à son sujet une chose qui pourrait le détruire, lui. Une course, quoi, une course qui avait jamais été planifiée, qui avait pas connu de début précis, mais qui pouvait juste finir par la chute de l'un ou de l'autre. Pourquoi y m'a pas tout simplement assassiné comme y a fait avec la Duchesse ou Carmen ? Au contraire des tragédies grecques, on tue pas le messager du malheur, sur la *Main*, a se retrouverait vite déserte, et, je vous l'ai dit tout à l'heure, j'étais le messager de toutes mes consœurs. En plus, tout le monde l'aurait su tout de suite et même Maurice aurait pas pu l'ignorer. Y faut pas oublier que Tooth-Pick tuait toujours soi-disant pour rendre service à Maurice et se trouvait par le fait même frappé d'immunité. Pas bête, le chien sale ! Par exemple, Carmen était sur le point de devenir dangereuse pour leurs affaires quand elle a voulu changer le goût du *redlight*, qui avait toujours été fou de la musique country, pour une chanson plus engagée, plus sociale ; la Duchesse, de plus en plus alcoolique, de plus en plus pathétique, avait la langue trop ben pendue et avait commencé – vous voyez, comme je vous le disais tout à l'heure – à répandre à leur sujet, à Tooth-Pick et Maurice, des choses que la *Main* tenait secrètes depuis toujours, pas juste au sujet de leur relation, mais aussi en ce qui concernait certaines disparitions et certaines transactions pas trop catholiques. Carmen et la Duchesse se pensaient trop puissantes et l'ont payé de leur vie ; moi, je jouais l'humilité et la servilité en traitant chaque petite victoire comme une grande et en gardant ma place. Coryphée, pas plus, pas moins, mais coryphée tout de même.

C'est d'ailleurs ma job de coryphée, de messager, de représentante des prostituées de la *Main* qui a été la cause de ma perte. Trop généreuse ? Trop sensible ? Non. J'ai juste fait ma job. J'ai juste trop bien fait ma job ! Et à cette occasion-là le grand bourreau de la petite pègre s'est senti pour une fois investi de la mission d'abattre le messager du malheur. Comme dans les vraies tragédies. J'ai été l'héroïne d'une vraie tragédie, c'est pas mal pour un ancien frère enseignant converti dans la guidounerie !

Quand je me réveillais le matin tel que la nature m'avait fait, tout nu et sans artifice, j'étais un pauvre petit être sans défense, faible et frissonnant, je serais volontiers resté au lit à essayer de faire pitié ; mais jouqué sur des talons aiguilles, couronné de n'importe quelle moumoute ou couvert d'une quelconque guenille avant de me faire disparaître derrière une couche épaisse de maquillage, je devenais la puissante bitch qui avait su se faire respecter dans un monde où le respect est réservé aux plus forts, aux plus haut placés, la créature raffinée malgré la déchéance, la divine horreur que vous avez devant vous. J'étais pas, loin de là, parmi les plus haut placés du milieu, c'est vrai, mais je pouvais me vanter d'être parmi les plus respectés. La femme dans laquelle je me glissais quand je me glissais dans ses vêtements était peut-être la dernière des putains, en tout cas l'une des moins ragoûtantes, mais c'était une personne respectable, droite et fière, mal embouchée, oui, mais jamais sans raison et toujours à l'affût d'une injustice à dénoncer. En homme, j'étais une victime ; en femme, une battante, comme disent les Français, une fonceuse qui a peur de rien et que rien peut arrêter. C'est pas de ma faute, j'peux même pas en prendre le crédit, chuis fait comme ça. Ça m'a rapporté au cours des ans autant de problèmes que de satisfactions, mais je peux pas dire que je regrette quoi que ce soit : je pense sincèrement que j'ai toujours lutté pour les bonnes causes – la petite putain contre le puissant maquereau, le simple peddleur contre le méchant patron, les condamnés sans appel contre les cruels bourreaux – et quand j'vas monter l'escalier qui mène à la scène du Monument-National, après ma confession, chuis sûre d'être reçue par une ovation au contraire de certains de mes camarades d'infortune qui arrivent en haut sous les railleries ou les injures, ou un insultant silence.

Les fantômes s'entendent pas plus entre eux que quand y étaient pas encore des fantômes, croyez-moi, et les chicanes, ici comme en haut, sont pas rares et guère jolies à voir. Imaginez, par exemple, l'arrivée de Tooth-Pick, la personne la plus haïe de toute l'histoire de la *Main*, sur le plateau du théâtre… Le tollé général que ça soulèverait, le pandémonium qui s'emparerait de la salle… Mais ça risque pas d'arriver. Pourquoi ? Rien de ce qu'a fait Tooth-Pick est pardonnable et mérite l'absolution. Rien ! Parce que ça venait pas, jamais, d'une nécessité, mais juste des appétits de violence d'un malade grave. Donner l'absolution à Tooth-Pick, lui permettre de grimper l'escalier qui nous fait sortir du purgatoire, ce serait non seulement une erreur, mais une insulte à tous ceux qui ont été ses victimes, c'est-à-dire à peu près tout le monde qui a fréquenté le *redlight* depuis les années soixante. Tenez-vous-le pour dit, parce que c'est peut-être le dilemme qui vous attend un jour ou l'autre. Si par malheur vous avez à décider de son sort, pensez à celui auquel il a condamné tant de faibles innocents qui y avaient rien fait et sur qui il satisfaisait ses besoins maladifs de destruction. Écoutez même pas ce qu'y va avoir à vous conter, ça va être plein de trous et plein de menteries. Et si y essaye de vous séduire, caparaçonnez-vous, comme y disent dans les romans de chevalerie, parce que, c'est vrai, c'est difficile d'y résister tellement y est ratoureux, habile et expérimenté dans la tromperie sans vergogne et l'omission éhontée. En tout cas, j'espère que vous êtes pas gay et que vous vous laissez pas mener par ce qui vous pend entre les jambes comme un trop grand nombre d'entre nous. Parce que ce qui vous pendrait au bout du nez serait pas beau à voir !

On vous a-tu prévenu – au fait, on vous fait-tu signer un contrat la première fois que vous descendez ici ? – que si vous pardonnez à quelqu'un qui le mérite pas vous êtes condamné à prendre sa place ? Aimeriez-vous ça passer le reste de vos jours à couper des citrons derrière un comptoir et à servir des bières à des aspirants fantômes qui attendent juste que quelqu'un se présente pour les écouter dérailler pour avoir pardonné à Tooth-Pick l'indicible et l'impardonnable ? Sans jamais pouvoir en sortir ? Vous êtes pas de la *Main*, je vous connaîtrais, vous êtes pas de notre monde non plus, vous auriez donc pas l'espoir de vous en sortir pour monter en haut, au panthéon, là où ceux qui avaient pas de talent se voient aussi bien traités que ceux qui avaient du génie pour la simple raison qu'y appartiennent à la *Main*, le contorsionniste Pick-Pick à côté de Gratien Gélinas, la pauvre Gloria à côté de la merveilleuse Juliette Béliveau. Où est-ce qu'on vous mettrait ? Comment est-ce qu'on vous traiterait ? On saurait pas quoi faire avec vous et vous moisiriez ici à tout jamais. Pensez-y.

Mais, c'est vrai, c'est moi qui pourrais être la méchante, la menteuse, la manipulatrice et Tooth-Pick le saint homme envoyé sur Terre, comme il le pense peut-être, pour mettre de l'ordre là où le mot existait même pas avant son arrivée. Vous pouvez pas le savoir, vous apprenez tout ça tout d'un coup. Qui a tort, qui a raison ? Good luck ! À vous de décider.

En attendant, moi, je m'éloigne de mon récit.

Le temps est venu de vous parler de Brigitte, la pauvre fausse fille qui a été la cause de ma chute et à qui je pardonne tout parce qu'on peut pas en vouloir à l'innocence pure et au vrai manque d'intelligence. Innocente, elle l'était depuis sa naissance, et on peut pas dire, loin de là, que la fée Intelligence s'était penchée sur son berceau. Elle avait un jour vu, à l'époque où elle s'appelait encore Roger ou Michel, je sais pus trop, elle avait donc un jour vu une photo de Brigitte Bardot quelque part dans un magazine et s'en était jamais remise. On peut même pas dire qu'elle l'avait vue au cinéma de sa Drummondville ou de sa Sherbrooke natale, parce qu'elle était trop jeune quand Brigitte Bardot avait tourné son dernier film, une innommable aventure de cape et d'épée. Non, une photo avait suffi et la vie de notre future Brigitte était déjà toute tracée : quitter son patelin en pantalon pour aboutir dans la grande ville en robe à crinoline lavée dans l'eau sucrée pour qu'a se tienne plus raide. Elle nous est arrivée sur la *Main* déjà transformée en Brigitte Bardot, avec le petit mouchoir noué sous le menton et tout, et on l'a jamais vue autrement attifée. Brigitte Bardot le matin, au réveil, quand elle allait prendre son petit déjeuner au Sélect, Brigitte Bardot la nuit, sur son bout de trottoir, été comme hiver, petit bonbon rose ou bleu poudre, couverte de minou trop mince en janvier – du faux, bien sûr, elle suivait avec passion la guerre entre l'ancienne actrice française et les chasseurs de phoques et aurait jamais accepté de porter de la vraie fourrure – et découverte de façon plutôt ravissante – et savante – en juillet.

Brigitte était la naïveté en personne, facile à tromper et trop bonne poire ; il fallait donc la guetter sans arrêt pour l'empêcher de s'embarquer dans des histoires d'amour sans allure ou de se faire fourrer par le premier crosseur rencontré sur l'asphalte de la rue Saint-Laurent qui lui aurait fait passer une montre sans valeur pour une Rolex sans prix. A dépendait trop des autres depuis trop longtemps, elle a été incapable de se retrouver toute seule sur le trottoir à faire face aux nombreux clients qui y couraient après et, c'est inévitable dans notre métier, aux dangers qu'y pouvaient parfois représenter pour une fausse petite Brigitte Bardot sans défense.

Brigitte nous a fait vivre un mauvais mélodrame. Mais quand y se produisent dans la vraie vie, les mélodrames, on les prend pour des tragédies. Parce que la souffrance est la même.

On a vu c't'enfant-là s'étioler pendant deux ans. A faisait peine à voir, la pauvre. Elle avait perdu tout cœur à l'ouvrage, elle qui avait trouvé si excitant pendant si longtemps d'être la coqueluche de la *Main*, la guidoune la plus en demande de tout le quartier pourtant bien fourni en beaux fessiers à vendre, sans avoir à sombrer dans la bitcherie, comme certaines de ses consœurs, ni la méchanceté gratuite, apanage des travestis repoussants comme moi qui s'en sortent avec une effronterie pas toujours des plus plaisantes. Elle, on la réclamait, alors que la plupart des autres – pas toutes, bien sûr, y en avait quand même des pas pires pantoute, Babalu, par exemple, notre autre Brigitte Bardot, mais trop atteinte de phobies et de lubies pour faire compétition à Brigitte et qui a dû se contenter toute sa vie de la deuxième place – on les prenait parce qu'elles se trouvaient là… Brigitte poussait l'honnêteté jusqu'à aimer son métier pendant de grands bouts de temps. À condition toutefois de se sentir protégée. Elle avait eu besoin de Fine Dumas et de Céline Poulin à l'époque du Boudoir, elle avait désormais besoin de moi maintenant qu'on était revenues sur le trottoir comme de la simple viande à l'étalage. Elle voulait savoir que quelqu'un la surveillait, qu'elle était jamais tout à fait seule, sauf, bien sûr, dans les maisons de passe où a réussissait quand même à se trouver des protecteurs chez les filles qui changeaient les draps ou les garçons d'étage qui acceptaient de faire des commissions pour les clients les plus argentés. Même là, même seule, étendue sur le dos ou accroupie sur les genoux en face d'un homme dont elle ne saurait jamais le nom, elle se sentait protégée et les pourboires royaux qu'elle laissait au personnel des *tourist rooms* de la rue Saint-Dominique ou de la rue Clark étaient appréciés à leur juste valeur…

Qu'est-ce qui s'est passé pour qu'elle capitule, comme ça, qu'elle se laisse aller au bout de tant d'années – quinze ans de bons et loyaux services, c'est pas rien ! –, elle toujours si fière de son look de Bardot des pauvres et appliquée dans son travail plus que n'importe qui d'autre d'entre nous ? On a d'abord pensé à une peine d'amour cachée, un client favori auquel elle se serait attachée et qui l'aurait plaquée là, mais elle nous a juré que non, que c'était pas ça, que c'était rien. Ensuite, la nouvelle a couru qu'elle était malade, qu'elle avait attrapé la grosse maladie qu'on n'osait pas encore appeler par son nom et dont l'euphémisme que les journalistes avaient trouvé – le cancer gay – nous insultait au plus haut point. Après vérification, c'était pas ça non plus. La dernière chose à laquelle j'aurais pensé, personnellement, c'est la drogue. Brigitte avait toujours été *clean* comme une première communiante et parmi les premières à conspuer Tooth-Pick ou Dum-Dum quand y essayaient d'y en refiler pour mettre un peu de pep dans son soulier les rares soirs où a semblait flancher sous le nombre de ses soupirants. Y avaient beau y seriner que la coke donnait de l'énergie, elle les envoyait bellement chier, leur tournait le dos et repartait travailler, sobre à nouveau et pleine de bonne volonté. Mais, quelque part, au détour d'une soirée qu'elle avait trouvée trop rude ou après un de ces clients vicieux qui vous découragent et vous écœurent de l'être humain et de ses fantasmes tordus, elle a dû chuter une première fois. Pour se redonner du courage, j'imagine. Pour se recrinquer. Pour repartir en essayant d'oublier ce qu'elle venait de traverser. Pour faire une job honnête même si le cœur n'y était plus.

On a rien vu venir et Tooth-Pick s'en est pas vanté, pour une fois. Parce qu'y savait sans doute qu'y m'aurait sur le dos si je m'adonnais à apprendre que Brigitte était embarquée et que son cul s'en sortirait pas indemne. Une confrontation définitive entre nous deux était trop imminente, trop due, en quelque sorte, pour qu'y essaye pas de la retarder le plus possible. Parce que j'avais la naïveté de penser qu'y était possible que Tooth-Pick ait un peu peur de moi. Lui ! De moi ! J'ai été aveugle, et on est deux à avoir payé pour mon aveuglement.

En plus, c'est ma faute, je l'avoue, j'ai trop retardé mon intervention. Quand je me suis décidé, y était trop tard.

Vous comprenez, j'avais vu tant de filles attendre d'avoir atteint le fond de leurs malheurs en amour ou de leurs habitudes de fuite dans les paradis artificiels pour pas espérer que quelque chose arriverait à Brigitte qui la ferait réagir à temps, se donner une poussée pour remonter à la surface, se sauver elle-même, en fait, comme Babalu avec l'alcool et même la pauvre Mae East avec le crack. Mae East est descendue ben bas avant de remonter et elle a eu le courage de s'en sortir quand elle a vu venir la mort, alors pourquoi pas Brigitte ? Mais Mae East était une fonceuse, une force de la nature, pas ma petite Brigitte, pathétique créature de chiffon créée au départ sur un modèle dépassé depuis longtemps et à tout jamais. Je dis pas ça pour me disculper, vous savez, au contraire, je sais que j'ai trop attendu parce que Tooth-Pick était quand même pas n'importe qui à affronter et que c'est par pur égoïsme de ma part si ce qui est arrivé a fait deux victimes au lieu d'une seule.

Brigitte faisait peine à voir. Tout le monde me le disait, la plupart allaient jusqu'à me demander quand est-ce que je ferais quequ'chose pour l'aider parce que mes conseils, mes menaces, mes supplications suffisaient pas, c'était évident, et qu'on n'en pouvait pus de la voir tituber soir après soir sur son bout de trottoir, maigre à faire peur, blanche comme un linge, perdue derrière des yeux trop grands dans un monde qui semblait pas du tout la consoler de quoi que ce soit. C'était pus le rôle de la mère poule qui s'imposait, c'était celui de la négociatrice. Tooth-Pick lâchait pas Brigitte, plus y la voyait faible, plus y abusait d'elle, y fallait que ça cesse.

Alors, un bon matin, je me suis décidé. Le mauvais matin, bien entendu. Et dans les mauvaises circonstances. On devrait tous se méfier, tout le monde, toute la gang, sans exception, de nos sautes d'humeur intempestives, des décisions trop rapides, pas assez réfléchies, de l'éclatement précipité des vannes qui retenaient jusque-là notre trop-plein de frustrations. On devrait toujours réfléchir avant de grimper dans le visage de quelqu'un, peser nos arguments, nos chances de réussite et, surtout, jamais sous-estimer les forces de l'ennemi. Je dis ennemi parce que c'en était un. Un vrai. À abattre avant qu'y nous abatte. Moi, en tout cas, parce que je sentais que c'était une des choses qu'y l'excitaient le plus : voir arriver le jour où y pourrait enfin se débarrasser de moi pour continuer à faire à sa tête malade sans danger de voir arriver une furie avec des accusations et des exigences au nom d'une justice qui aurait pas dû exister parce qu'a le dérangeait dans ses affaires.

Comme je vous l'ai dit tout à l'heure, Tooth-Pick lâchait pas Brigitte depuis un certain temps. C'est lui qui y avait fourni sa première dose de drogue comme pour à peu près tous les junkies du quartier, qui l'avait poussée à dépenser son argent en poudre qui, soi-disant, l'aiderait à endurer l'adversité, mais qui faisait juste l'enfoncer un peu plus dans sa déprime, c'est lui qui continuait à y procurer son poison à volonté tout en sachant que ça la tuait à petit feu, et pourtant y y tombait dessus régulièrement quand par malheur a se présentait en retard ou qu'a réussissait pus à faire son quota de clients, même les soirs creux comme le lundi.

Y l'humiliait devant tout le monde, au beau milieu de la *Main*, y la secouait pour la réveiller quand y venait d'y procurer de quoi s'endormir, on l'a vu la frapper, y tirer les cheveux après y avoir arraché la perruque en pleine rue… et même la menacer – y gardait toujours ça pour la fin, toujours excité de le dire et déterminé à le faire –, d'y régler son compte pour de bon. Quand Tooth-Pick en était arrivé là avec quelqu'un, on savait que la fin était proche, que ça voulait dire que cette personne-là pouvait pus y être utile, qu'elle était dans son chemin et qu'on allait éventuellement la retrouver morte dans quequ'coin du *redlight*, un autre assassinat inutile, un simple amusement de plus pour un cerveau détraqué, trop fertile pour pas être terrifiant.

C'était le tour de Brigitte, la nouvelle courait partout sur la *Main*, et y fallait que quelqu'un, en l'occurrence moi, le coryphée, la négociatrice, fasse une dernière tentative de sauvetage.

J'aurais dû me méfier, pourtant. On venait d'avoir l'exemple de Willy Ouellette, quequ'mois plus tôt, à qui Tooth-Pick avait fait avaler sa musique à bouche parce qu'y avait osé défendre la pauvre Lola. Mais moi, c'était ma job, non ? C'est ce que je faisais depuis longtemps, défendre les guidounes qui se retrouvaient victimes de Tooth-Pick et de sa gang de gros bras, y le savait et jusque-là y m'avait toujours écouté ! Peut-être qu'y se sacrait de ce que j'avais à dire, *mais y m'avait toujours écouté* !

En tout cas, ce matin-là, j'avais les jambes qui me démangeaient, j'étais incapable de rester en place, surtout de prendre un petit déjeuner tranquille tout seul avec moi-même, alors j'ai décidé d'aller voir qui c'est qui traînait au Ben Ash, le restaurant de la *Main* où tout ce qui a pas pogné se donne rendez-vous avant d'aller se coucher. Ces fins de soirée-là d'après le *last call* s'étirent souvent jusqu'au petit déjeuner, et la place, entre huit et dix heures du matin, est presque toujours pleine de conversations qui se croisent d'une banquette à l'autre, de fous rires de fatigue et de bitcheries sans nom qui font redresser les cheveux des perruques sur la tête. Et Dieu sait que j'avais grand besoin de me changer les idées !

Vous comprenez, la veille, on avait retrouvé Brigitte sur le pas de sa porte, écrasée sur le plancher, la clef à la main. Avec des bleus partout, un œil au beurre noir, du sang sur la bouche. Elle avait réussi à se traîner jusque-là, mais elle avait manqué de force juste avant de rentrer chez elle. C'était-tu la faute de la drogue, celle de Tooth-Pick, les deux ? J'avais pas dormi de la nuit, j'étais remonté comme si j'avais bu dix tasses de café et j'avais passé des heures à engueuler Tooth-Pick dans ma tête, à y dire enfin ma façon de penser, à l'agonir d'injures. Et même à le frapper pour y remettre la monnaie de sa pièce, le chien sale !

Et la première personne que j'ai aperçue dans la vitrine du Ben Ash, c'est justement mon Tooth-Pick penché sur ses œufs au miroir-bacon-saucisses, des poches sous les yeux parce qu'y avait pas dormi et son éternel rictus aux lèvres. Moins le cure-dents, bien sûr, parce qu'y va pas jusqu'à manger avec son bâton planté dans la bouche ! Et, pour une fois, sans gardes du corps ! Offert, en quelque sorte, sans défense, dans une rare position de faiblesse. Sans réfléchir et de peur qu'y se rende compte que j'avais l'intention d'y parler et qu'y sorte une partie de son arsenal avant que j'atteigne sa table, j'ai ouvert la porte et chuis entré au restaurant – plutôt calme, presque vide ce matin-là, comme par exprès – dans le but d'y régler son compte une fois pour toutes. Du moins en paroles.

Y me tournait le dos et je marchais d'un bon pas pour m'empêcher de penser à ce que j'y dirais parce que je voulais que ça sorte tout d'un coup, comme une tonne de briques, sans fioritures et de la façon la plus violente possible, quand j'me suis aperçu dans une des colonnes à miroir qui décorent la salle depuis quequ'temps et qui servent, pour la plupart d'entre nous, à nous refaire une beauté avant de retourner travailler, de façon à ce que les clients trouvent pas de taches de ketchup sur nos robes ou de senteur de moutarde forte sur nos haleines…

J'étais pas habillé en femme !

Ce que je voyais était le reflet d'un homme d'un âge certain, vieilli par la boisson, les cigarettes et un métier épuisant, le cheveu court et gris et gras, la joue tachée de barbe, une espèce de gringalet à grand nez qui ressemblait à un oiseau déplumé, voûté et chambranlant sur ses jambes maigres. Vous vous souvenez des livres de poche Marabout ? Ben, c'est de ça que j'avais l'air. Du marabout de la collection Marabout ! Un échassier ! J'avais l'air d'un échassier en furie !

Tooth-Pick m'avait entendu venir. Y s'est retourné tout d'un coup, m'a reconnu, a fait un sourire que j'aurais volontiers effacé d'un revers de la main tellement y était rempli de mépris.

« Mon Dieu ! Jean-le-Décollé sans son déguisement de Sagouine ! C'est rare qu'on voie ça ! As-tu perdu tes dernières guénilles au poker, 'coudonc ? T'es-tu fait arracher ta dernière perruque de sus la tête ? »

Et je suis bêtement resté figé là, incapable de dire un mot, comme si je m'étais retrouvé tout nu devant lui. Mon costume de bitch était resté chez moi et j'étais incapable de sortir le premier mot de ce que j'avais à dire à l'écœurant que je voulais engueuler depuis si longtemps et qui, pour une fois, était à ma merci.

Il m'a regardé en arrondissant les yeux, jouant la surprise tout en s'amusant comme un petit fou.

« Avais-tu quequ'chose à me dire, mère Teresa ? Mes œufs refroidissent, là, mon bacon retrousse dans mon assiette ! Y a rien que j'haïs plus au monde que des toasts froides et raides, ça fait que si tu t'es arrêté juste pour me dire bonjour, sors-lé et laisse-moi finir mon déjeuner en paix. Sinon, tu me rendras tes hommages entre deux clients, à soir… »

C'est lui qui m'insultait !

J'avais deux personnes devant moi : d'abord Tooth-Pick que j'étais venu agonir d'injures et qui riait de moi et, dans le reflet de la colonne de miroir, un pathétique et pitoyable vieux monsieur sans voix, une expression d'horreur imprimée sur le visage, pâle à faire peur et ridiculement impuissant. Mais y fallait que je dise quequ'chose, que je sorte, je sais pas, moi, une phrase, une seule phrase, mais quequ'chose !

J'ai pris mon courage à deux mains, je me suis obligé à ouvrir la bouche, et ce qui en est sorti était d'un tel ridicule que j'ai honte de vous le répéter. Une toute petite voix qui ressemblait pas pantoute à la mienne est sortie du fond de ma gorge, piteuse tentative d'exprimer toute la haine que je ressentais pour lui :

« En tout cas, Tooth-Pick, laisse Brigitte tranquille, sinon tu vas avoir affaire à moi ! »

Dit presque tout bas, murmuré comme par un mauvais acteur gêné d'être sur la scène, un filet de voix qui contenait aucune espèce de danger ou de menace et qui a fait éclater de rire la personne qui aurait dû se sentir intimidée. Je l'ai vu éclater de rire en même temps que je voyais mon reflet blêmir encore plus, si c'est possible. Et mes épaules s'arrondir. Et ma tête se pencher.

Pour la première fois de ma vie, j'ai tourné le dos au danger et je me suis sauvé comme un pauvre pitou pris en flagrant délit de pipi sur le tapis du salon, la tête basse, la queue entre les jambes. Et j'ai vomi au coin de la *Main* et de la Catherine tout l'alcool que j'avais bu la veille, plus les trois hot dogs *steamés* du Montreal Pool Room que j'avais avalés trop vite avant de rentrer chez nous et qui m'étaient restés sur l'estomac.

Mais je me considérais pas battu, loin de là ! En homme, j'étais trop lâche pour défier mon ennemi ? On verrait bien ce qui allait arriver si je prenais la peine, pour une fois, de me faire *belle* !

167

J'ai avalé une de mes pilules les plus fortes pour m'assommer une bonne partie de la journée, j'ai dormi huit heures en ligne sans même me retourner dans mon lit et je me suis réveillé avec un mal de bloc épouvantable – les somnifères me font toujours cet effet-là –, mais reposé et plus déterminé que jamais à affronter Tooth-Pick le soir même.

Quel que soit le prix à payer.

J'ai sorti de ma garde-robe ce que j'avais de plus beau – je devrais peut-être dire ce que j'avais de moins laid –, une robe en taffetas vert irlandais, aussi flashée qu'une annonce néon, trop décolletée pour moi, aux manches un peu courtes pour mes bras de singe et, surtout, exagérément volumineuse pour le métier que j'exerce. Une putain se promène pas sur la rue avec une robe de bal, vous comprenez, c'est pas commode et ça excite personne. Les hommes qui partent en chasse sur la *Main* veulent voir de la peau, rose autant que possible, pas du tissu, aussi dispendieux soit-il. Et ceux qui courent après des bibittes comme moi veulent surtout pas qu'elles soient belles !

J'ai mis un long moment à me maquiller, mes faux cils étaient neufs, mon rouge à lèvres bien appliqué, mon fond de teint pas trop foncé. J'ai enfilé mes longs gants blancs qui avaient pas servi depuis l'enterrement de la Duchesse de Langeais et j'ai posé sur ma tête ma perruque rousse, celle que j'avais achetée à la mort de Germaine Giroux et que j'avais jamais portée parce que j'en avais jamais eu l'occasion. L'occasion s'était enfin présentée et ma perruque rousse, si a sentait un peu la boule à mites, impressionnait tout en prodiguant à mes yeux une teinte différente, un éclair de feu hérité de la divine Germaine elle-même et qui pourrait me servir. D'habitude, j'accentue le côté vieille putain sur le retour, y a des amateurs pour ça, plus qu'on pense. Jamais, au grand jamais je joue la carte de la beauté, ceux qui viennent avec moi le font pour ce que je sais faire, pas pour de quoi j'ai l'air, mais cette fois-là... Cette fois-là, mon cher monsieur, je voulais être *gorgeous* et provocante en plus d'être frondeuse, persifleuse et intrépide. Je voulais pas être la plus belle, j'étais trop vieille, trop décatie, trop fatiguée, mais la plus impressionnante, et ça, j'en étais tout à fait capable !

Ce que je voyais dans mon miroir avant de quitter mon appartement, c'était pas le Jean-le-Décollé auquel j'avais habitué la *Main*, mais la bitch sans foi ni loi que j'aurais pu être toute ma vie si je l'avais voulu, une des plus grandes meneuses d'intrigues, une des plus perverses manipulatrices de tous les temps, la Clytemnestre des pauvres, la Hérodiade des bas-fonds, l'Agrippine du *redlight*. J'aurais pu me placer à la tête d'une armée, gagner une guerre, envahir un continent au complet, je m'en sentais la force et le courage, alors que tout ce que j'avais à faire était de réduire à ma merci un petit membre de la petite pègre d'une petite ville de province. J'étais passé de messager à impératrice ! Et c'est moi, pour une fois, qui risquais de tuer quelqu'un ! Du moins je l'espérais.

Mais j'avais un redoutable ennemi, je l'ai déjà dit, et on le répétera jamais assez.

Depuis que Tooth-Pick est venu nous rejoindre ici, à la taverne – j'ai malheureusement pas assisté à son exécution, j'étais déjà installé à ma table devant ma bière, avec mes souvenirs et ma rancœur –, je fais semblant que je le reconnais pas, je le snobe, je le prends de haut, j'y donne des ordres et y est quand même obligé de me servir mes drinks parce que c'est sa job. Bien piètre consolation, me direz-vous. Ben oui. On prend les consolations qu'on peut quand on a pas le choix. J'ai juste à lever la main et y accourt comme un petit chien, c'est pas si mal...

Toujours est-il que j'étais belle en pas pour rire quand j'ai remonté la *Main* dans mon déguisement de douairière de la haute société perdue dans la fange du *redlight*. Personne me reconnaissait ; j'y tenais pas non plus. Mon nouveau personnage me permettrait peut-être de m'approcher de Tooth-Pick plus facilement. Y devait se méfier de moi depuis le matin, y savait lui aussi à qui y avait affaire…

C'était une nuit pesante qui couvait un orage comme la femelle vautour son œuf. On savait que quequ'chose de gros allait éclater, mais ce quequ'chose là se faisait attendre, se languissait en couches d'humidité collante en se contentant de produire de temps en temps un éclair de chaleur qui excitait d'anticipation et qui jouait avec nos nerfs. Moi, je marchais à travers tout ça en suant d'abondance et en espérant puer le plus possible. Belle pour d'abord faire oublier qui j'étais, mais odorante pour le rappeler ! J'ai toujours été une créature du ruisseau, par choix, et je voulais que celle qui allait se présenter devant Tooth-Pick, aussi belle soit-elle, en ait gardé le parfum ! La dame aux camélias fanés. Un vase de la dynastie Ming qui contient de l'eau croupie.

On dit souvent que le hasard fait bien les choses, certains, par contre, prétendent qu'y existe pas ; laissez-moi vous dire que ce soir-là, y existait et que si y a bien fait les choses, c'est pas pour moi mais pour mon adversaire, même si j'ai d'abord cru le contraire.

Tout le monde me regardait remonter la rue Saint-Laurent sans oser m'aborder. Les nouveaux venus sont d'habitude de pauvres hères, filles et garçons, qui se sont sauvés de chez eux trop jeunes et qui croient atteindre la liberté en tournant le coin de la *Main* et de la Catherine, alors que c'est la plupart du temps dans l'esclavage, celui du cul, celui de la drogue, celui de la boisson, qu'y plongent. C'était la première fois depuis longtemps qu'une créature toute faite, et même sur le déclin, faisait son apparition au milieu de la faune ordinaire de la *Main*, et les têtes se tournaient sur mon passage. J'ai pensé à Cendrillon à son entrée au bal et je me disais que c'était toute une citrouille qui attendait

Tooth-Pick… Je me tenais droite, les mains posées sur ma ceinture comme Bette Davis quand a joue le rôle de la reine Élisabeth, la première, pas l'insignifiante qu'on trouve sur les billets de banque, je pense même que j'imitais un peu mon amie la Duchesse de Langeais parce que j'étais pas habituée ni intéressée aux mondanités comme elle et qu'elle avait jamais réussi à me convaincre de faire une belle femme de moi. La Duchesse, en femme, était pas une belle femme, mais elle était impressionnante quequ'chose de rare ! Ses leçons, vaines pendant tant d'années, portaient enfin fruit, a s'était pas tant démenée pour rien, paix à son âme. J'ai hâte de la retrouver, en haut, quand j'vas avoir fini de vous parler… Mais je mélange tout, je parle trop vite et je m'éloigne de mon récit…

Plus tard, mes consœurs de la rue m'ont dit qu'y avaient cru que j'étais une envoyée d'un autre quartier ou d'une autre ville – vous voyez, le messager, encore – qui venait régler ou déclencher un problème important avec Tooth-Pick et qui s'était mise sur son trente et un pour se faire respecter. Je m'étais mise sur mon trente et un pour me faire respecter, oui, mais je venais pas de l'extérieur, je venais du cœur même du problème, j'en faisais partie et je savais que c'était ma dernière chance de le régler.

Je parlais tout à l'heure du hasard qui fait bien les choses… Écoutez ben ça : Tooth-Pick et son entourage – si on peut appeler entourage une gang de pas bons sans tête et sans scrupules qui font la loi à coups de poings et à coups de pieds – fumaient tranquillement des cigarettes devant chez Ben Ash, à une trentaine de pieds de là où la Duchesse était venue mourir, des années plus tôt. Y finissaient sans doute de se bourrer la face de *smoked meat* maigre et de patates frites grasses, l'atmosphère était à l'allégresse et Tooth-Pick semblait en grande forme. Juste retour des choses, que je me suis dit. Y va payer à l'endroit même où s'est éteinte l'une de ses plus grandes victimes.

171

Y m'ont aperçue juste quand j'ai attendu que le feu de circulation passe au vert pour traverser vers le nord.

C'est tit-cul Chiasson, le gros écœurant, qui m'a vue le premier. Y a donné un coup de coude à Tooth-Pick qui s'est retourné dans ma direction. Et qui, lui, m'a reconnue tout de suite. À quoi y m'a reconnue ? Je le saurai jamais, hein ? Et c'est certainement pas ici que j'vas y poser la question, même si on passe tout notre temps en présence l'un de l'autre et depuis des années. C'est une bonne description de l'enfer, ça, tiens, Sartre serait content…

Ses estafettes ont voulu intervenir quand j'ai commencé à traverser la rue, mais Tooth-Pick les a repoussées en leur donnant des ordres à voix basse. Y se sont éloignés en murmurant entre eux des choses que je pouvais pas entendre et qui devaient contenir des menaces contre la grande femme en vert – j'avais chaussé mes plus hauts talons aiguilles – qui osait troubler leur party.

Tooth-Pick a attendu que je sois à côté de lui pour me parler. Y m'a regardée traverser la rue en faisant passer son cure-dents d'un côté à l'autre de sa bouche comme quand y est un peu énervé et ça m'a fait un immense plaisir, naïve que j'étais. J'ai été jusqu'à croire que je tenais enfin le haut du pavé ! Pauvre folle ! Son ironie a glissé sur moi comme une couche de lubrifiant sur une capote trop sèche :

« Parle-moi de ça ! Mère Teresa convertie aux turpitudes de la bourgeoisie ! T'es beau comme ça ! T'aurais dû te déguiser de même avant, Jean-le-Décollé, on aurait fait plus d'argent avec toi ! »

Je me suis contentée d'y faire un grand sourire.

Et j'ai esquissé pour la dernière fois de ma vie le geste qui m'avait rendue célèbre en tant que négociateur auprès des boss quand y devenaient trop exigeants : j'ai déplié l'index, chuis allée le poser sur le cœur de Tooth-Pick, en tout cas à l'endroit où y aurait dû en avoir un, et j'ai commencé mon monologue comme je le faisais toujours, avec les mêmes paroles, sur le même ton, comme je vous l'ai expliqué plus tôt :

« Écoute-moi ben, mon petit gars… »

Y m'a écoutée, oui, c'est vrai, mais chuis allée trop loin, je me suis piégée moi-même dans mon enthousiasme incontrôlé et j'ai payé de ma vie une imprudence de trop. J'vas essayer de vous retrouver, en gros, ce que j'y ai dit, en essayant de pas m'en éloigner, de pas me donner une pertinence que j'aurais pas eue… Vous comprenez, je rumine ça depuis tellement longtemps que j'ai peut-être, peut-être, fini par en exagérer un peu l'importance ou la justesse des mots utilisés… Mais j'aime à croire que j'ai été aussi brillante et aussi précise…

« Écoute-moi ben, mon petit gars… Je le sais que tu te sens brave quand t'as ton troupeau de gros bras derrière toi et un arsenal caché dans tes vêtements, mais qu'est-ce qu'y a en dessous, Tooth-Pick, qu'est-ce que ça cache, hein ? Un petit caniche méchant et trop gâté par son maître et qui teste à tous les jours jusqu'où y peut aller trop loin ? Un petit Caligula de village qui respecte rien et personne, un Néron d'occasion qui se pense le centre de l'univers et qui peut pas supporter de pas être l'unique sujet de tout ce qui se passe autour de lui ? Pour qui tu te prends, Tooth-Pick ? Pour une terreur, oui, ça on le sait et tu réussis très bien, mais à part ça, quand tu te retrouves tout seul devant ton miroir et que tu te regardes dans les yeux, qu'est-ce que tu te dis ? Qu'est-ce que tu peux ben te dire, pour l'amour du Bon Dieu, pour justifier tes paroles et tes actes ? Essayes-tu jusque-là de te faire accroire que t'es le centre de l'univers ? Y crois-tu ? Penses-tu que ce que t'es devenu suffit pour faire de toi le point central de tout ce qui se passe dans le *redlight* ? À cause de ta violence primaire et si peu intelligente ? On sait tout ce que t'as fait, Tooth-Pick, on connaît tous ceux que t'as martyrisés, tous ceux que t'as assassinés en faisant semblant que les ordres venaient de Maurice alors que c'était toi qui faisais la loi par en dessous, comme un serpent dans le gazon, on sait tout ça, et par-dessus la peur que ça peut nous faire, de la haine qui nous déchire le cœur, sais-tu ce qu'on ressent le plus ? Tout le monde ? Sans exception ? Tes gros bras comme les travestis, les waiters comme les clients qui viennent dépenser le peu d'argent qu'y ont pour essayer d'oublier leurs petites misères ? Hein ? Le sais-tu ? Le mépris, mon petit gars, *le mépris*, le pire sentiment qu'on peut avoir pour un être humain, c'est ça qu'on ressent pour toi ! On te regarde et on te méprise ! Tout le monde ! On te méprise pour ce que t'as fait à la Duchesse en te cachant dans le fin fond d'un parking sombre parce que t'étais trop lâche pour la regarder en face pendant que tu y plongeais ton couteau dans le ventre, à Carmen que t'as assassinée pendant qu'est-tait tout nue, sans défense, dans sa douche, à Willy Ouellette, un pauvre innocent qui amenait un peu de musique sur la *Main* et que t'as assassiné par pur amusement, à Gloria, une rêveuse sans méchanceté que t'as humiliée pendant des années alors qu'a t'avait rien fait, même à Dum-Dum, ton propre assistant, qu'on haïssait tant, et qui pourrit au fond du fleuve avec un bloc de ciment autour des jambes parce qu'y a osé se plaindre, une seule fois, que tu le traitais mal et que tu tardais toujours à le payer ! Cruel et *cheap*, c'est tout toi, ça ! Et arrête donc une fois pour toutes de te servir du nom de Maurice pour exécuter tes basses manœuvres ! On le sait, là, tout le monde, que les ordres viennent rarement de lui ! Parce que lui aussi a peur de toi ! De ce que tu sais à son sujet ! De ce qui vous lie tous les deux ! Ben oui, on sait très bien ce qui vous tient ensemble, tous les deux, ce qui vous colle l'un à l'autre, on connaît votre secret, tout le monde, on en parle à voix basse tous les jours, plusieurs fois par jour, on rit dans votre dos, on guette les moments où Maurice pose sa main sur ton épaule ou au creux de ton dos pour éclater en sous-entendus désobligeants, en remarques d'une rare malveillance, en allusions très précises au sujet de vos relations, vos vraies relations, lui étendu sur toi ou ben toi étendu sur lui ! On sait tout, au complet, ce qui te concerne, et un bon jour, on pourrait se mettre ensemble pour te le faire payer ! En attendant, chuis venue te demander une seule chose, une seule petite chose de rien du tout, au nom de tout le monde, comme d'habitude : lâche Brigitte, laisse-la tranquille, a fait de mal à personne, est pas assez forte pour se défendre et tu perds de l'argent en l'empêchant de travailler. Prends-toi-s'en à quelqu'un d'autre... »

Et c'est là, mon cher monsieur, que j'ai commis ma gaffe, que je me suis perdue moi-même, dans le feu de l'action, dans l'ivresse, oui, peut-être, que me procuraient ma loquacité et mon lyrisme. Pour une fois, j'me laissais aller à un lyrisme auquel j'étais pas habituée – d'habitude j'étais plus au fait que ça, plus concise, plus précise –, j'y prenais un certain plaisir, je peux pas m'en cacher, et c'est ça qui m'a perdue...

« Prends-toi-s'en à quelqu'un d'autre, Tooth-Pick... tiens, moi, par exemple ! Prends-toi-s'en à moi, chuis capable d'en prendre ! J'ai le sens de la repartie et une tête de cochon, tu vas avoir plus de fun à m'avoir comme interlocutrice, comme adversaire ! Mais c'est vrai que t'es trop lâche, hein, que t'aimes mieux quand tes victimes sont en position de faiblesse, ou ben tu les choisis parmi les plus délicats, les plus fragiles pour être sûr de gagner ! Avec tes gros bras derrière toi et ton arsenal caché dans tes culottes ! Es-tu capable de quoi que ce soit, Tooth-Pick, sans tes gros bras et ton arsenal ? Oui, c'est vrai, y a ton cul qui excite encore Maurice. C'est peut-être ça ta vraie force, après tout. L'attirance de Maurice pour ton cul, même vieillissant. Mais allez pas penser tous les deux que c'est un secret. Pas après la scène que je viens de faire ! Y a combien de monde qui nous regarde, là ! Y a combien de monde qui nous écoute ? Vous êtes démasqués, tous les deux, arrêtez donc de faire semblant, sortez donc du garde-robe ! R'garde, je lève les bras, chuis pas armée, chuis pas accompagnée, j'ai juste ma robe verte et ma perruque rousse pour me défendre, et pourtant je te défie, je te défie, Tooth-Pick, de sortir du garde-robe, de laisser Brigitte tranquille et de t'en prendre à moi ! Essaye donc de faire un homme de toi et de t'en prendre à un vrai homme pour faire changement ! »

J'étais pas sûre en ce qui concernait Maurice et lui, je dois l'avouer encore une fois. On n'avait jamais eu de preuves, c'était un coup d'épée dans l'eau, mais je me suis laissé entraîner par mon enthousiasme… Y faut me comprendre, c'était mon grand moment, ma grande scène, ma grande sortie après tant d'années de retenue et de frustration !

Évidemment, y a agi comme un lâche. On pouvait s'attendre à rien d'autre de sa part, c'est sûr, mais j'aurais aimé ça qu'y me surprenne. Qu'y se surprenne lui-même. Mais y était pas là pour se surprendre ou se prouver quoi que ce soit, y était là pour gagner et y a gagné. Pour le moment, y s'est contenté d'éclater de rire comme si j'avais conté une histoire drôle, y m'a fait un bras d'honneur et y est allé rejoindre ses sous-fifres.

Ce soir-là, en tout cas tout de suite après ma grande scène, j'ai triomphé, bien sûr. Tout le monde m'avait reconnue après mes premières paroles, et la nouvelle que j'étais en train de régler son compte à Tooth-Pick au beau milieu de la *Main* avait vite fait le tour du quartier. Des waitress étaient sorties de certains restaurants pour venir me voir, des *bouncers*, aussi, avaient abandonné les portes des bars pour assister au spectacle gratuit, sans compter mes consœurs et confrères de la nuit qui auraient pas manqué ça pour tout l'or du monde. Y m'ont félicitée à pus finir, quand ça a été fini, y m'ont fêtée jusqu'au dernier des *last calls*, si j'avais bu tous les drinks qui m'ont été offerts, je serais morte soûle avant minuit... J'étais la reine de la nuit habillée en vert, je venais de réussir avec brio mon grand air et Tooth-Pick avait enfin eu ce qu'y méritait : la honte, l'humiliation devant tout le monde.

Moi, pendant que je buvais un Cosmopolitan ou un Between the Sheets, j'me disais que ça avait été trop facile, c'est-à-dire que Tooth-Pick s'était trop facilement laissé dominer, c'était suspect. Y était resté là, raide comme un piquet au milieu du trottoir, le cure-dents planté dans la bouche, son éternel rictus aux lèvres, les yeux furieux, les yeux d'un assassin qui prépare un mauvais coup, c'est ça que je me disais, c'est ça, les yeux d'un assassin qui prépare un mauvais coup. Y m'avait laissée faire parce qu'y avait un plan. Je connaissais trop Tooth-Pick pour penser qu'y m'aurait pas interrompue sans raisons. Peut-être qu'y savait d'avance que j'irais trop loin, devant tout le monde en plus, et qu'y profiterait de ça pour se retourner contre moi... C'était peut-être bien mon compte à moi que j'avais réglé ce soir-là, après tout ! À sa place ! Comme une imbécile !

C'est drôle, hein, mais avant la fin de la soirée, je savais que j'étais condamnée, que c'était sans doute mon ultime chance de boire en compagnie de mes amis. Je levais mon verre chaque fois qu'on portait un toast à ma santé, et je me disais en le regardant que c'était peut-être le dernier. Je m'attendais d'une minute à l'autre à voir arriver Maurice lui-même qui viendrait exiger que je retire mes paroles insultantes, absurdes, injustes, ingrate que j'étais après tout ce qu'y avait fait pour moi, c'est son numéro ordinaire quand y veut jouer les offensés ; ou bien j'imaginais les estafettes de Tooth-Pick avec leurs poings américains et leurs *bats* de baseball. Mais rien de ça s'est produit et ça a été un maudit beau party. On peut presque dire que le *redlight* a fermé ses portes, cette nuit-là, avec l'espoir qu'une nouvelle ère allait commencer. Gang d'épais !

Y faut dire que Tooth-Pick s'est jamais vengé de qui que ce soit au vu et au su de tout le monde… Tooth-Pick devient une créature de l'ombre quand y frappe, une tache plus foncée encore que l'obscurité totale, un spectre maléfique qui tape toujours dans le noir, pendant qu'on est aveugle et, de préférence, quand on se trouve sans défense. Pourquoi y aurait changé, que je me disais, pour la simple raison que j'ai osé y parler ? Voyons donc ! Y me guette quequ'part, le couteau levé et le sourire aux lèvres. Y attend que je passe près de lui pour me sauter dessus, que je dorme pour me réveiller avec un coup de poing, que je tourne le dos pour me planter un poignard entre les omoplates. Sans témoins. Tout le monde va savoir, comme d'habitude, mais personne pourra rien prouver. Ou bien tout le monde aura trop peur.

J'arrive à la conclusion de mon histoire, vous vous en doutez bien. Je vous avertis qu'y aura pas de punch terrible, que ça va se passer exactement comme vous vous y attendiez, que je m'y attendais moi-même, parce que Tooth-Pick était prévisible, comme ma fin, comme la vie sur la *Main*, comme la vie.

Les dernières minutes de mon existence se sont passées aux limites du *Chinatown*. C'est drôle, hein, pour quelqu'un qui était allergique aux mets chinois ! Je m'en retournais toute seule chez nous après le si beau party – j'ai gardé le grand appartement de la place Jacques-Cartier quand les trois colocataires avec qui je le partageais sont parties –, je traversais la rue La Gauchetière, en même temps paquetée, heureuse et inquiète, quand c'est arrivé. Je peux pas tellement vous en parler parce que ça s'est passé trop rapidement et que, par bonheur, la mort est venue vite. Je peux juste vous répéter ce que Tooth-Pick m'a glissé à l'oreille pendant qu'y me tranchait la gorge :

« T'as failli perdre la tête une fois, Jean-le-Décollé, cette fois-là ça va être la bonne… J'vas suivre ta cicatrice comme une ligne pointillée… Ça va être facile, quelqu'un d'autre a déjà laissé un dessin… j'ai juste à le suivre ! »

Y paraît qu'y l'ont jamais retrouvée. Ma tête. Qu'y m'ont reconnue à ma robe verte. À ma perruque rouge qui était restée dans une flaque de boue comme un chat mort. Qu'y m'ont enterrée sans tête. Jean-le-Décollé, la femme sans tête. Y paraît que Tooth-Pick a jamais été inculpé faute de preuves. Ou faute de vouloir en trouver. Que la *Main* a eu beaucoup de peine. Y paraît que la *Main* a eu beaucoup de peine, mais la *Main* se remet toujours vite de ses peines. Essayez, pour le fun : quand vous allez sortir, tout à l'heure, demandez à la première personne que vous allez croiser si a se souvient de Jean-le-Décollé… A va sans doute vous dire oui, a va même peut-être avoir des anecdotes à vous raconter, mais de la peine ? Chuis pas sûr. Non, chuis pas sûr.

En tout cas, merci de m'avoir écouté. De me permettre de sortir de ce trou-là. Et de me débarrasser de la présence de Tooth-Pick. Regardez-le. Y sait qu'on parle de lui. Y est content. Y jubile. Et regardez son maudit cure-dents tout mouillé de salive. Je sais pas si c'est le même. Si ça a toujours été le même. Je sais pas si y a toujours eu juste un cure-dents comme y a toujours eu juste un Tooth-Pick. L'un pourrissant éternellement dans la bouche de l'autre.

Si vous voulez bien m'excuser, j'vas monter tout de suite en haut. Pensez-vous que la Duchesse est là ? Et Carmen ? On a tellement de temps à rattraper !

IX

HUIT ET DEMI

Que du noir et blanc. Rien d'autre. Aucune coloration, même parmi les plus pâles, les plus passées, n'arrivait désormais à s'immiscer dans le monde qui m'entourait, et j'avais l'impression d'être soudain plongé dans un film de mon enfance, alors que j'ignorais encore l'existence de la pellicule couleur et que même les photos colorées que collectionnait ma mère étaient teintes à la main.

Ça avait commencé pendant que je longeais le corridor qui menait à l'extérieur de l'établissement : c'était le matin, le soleil se levait, et pendant que je franchissais la vingtaine de pas qui me séparait de la rue Saint-Laurent – j'aurais dû écrire *boulevard* Saint-Laurent depuis le début, mais personne ne l'appelle jamais ainsi parce qu'il est à peu près impossible de considérer cette artère plutôt laide comme un boulevard –, j'ai vu le doré qui caressait la tête des passants se transformer en poussière lumineuse grise, leurs vêtements perdre leurs couleurs voyantes, un taxi passer du rouge au noir en une fraction de seconde. Et j'ai débouché dans un monde qui ressemblait étrangement à ceux que j'avais tant aimés et qui m'avaient tant marqué, d'abord enfant, à la salle paroissiale puis, plus tard, adolescent, aux cinémas de répertoire où je me suis abreuvé de mes premiers Truffaut, Antonioni, Bergman et, surtout, délices parmi les délices, où j'ai découvert mes tout premiers Fellini. (Ah ! devenir l'assistant du Zampano d'Anthony

Quinn dans *La strada*, ou m'étendre à plat sur le plancher luisant d'un château à côté de Jeanne Moreau, dans *La notte* ! Ou alors punir les violeurs de *La source* ! Ou, mon Dieu, j'en avais les larmes aux yeux chaque fois que j'en rêvais, m'intégrer à la ronde que forment les personnages à la fin de *Huit et demi* pour suivre le petit Guido joueur de flûte au son de la divine musique de Nino Rota dans un monde tout en noir et blanc, contrasté, brillant, merveilleusement faux.)

Je n'ai pas du tout paniqué, je pourrais presque dire que je m'y étais attendu parce que c'était la conclusion logique à ce qui se passait depuis le début de cette bizarre aventure lorsque je sortais de la taverne sous le Monument-National qui, semblait-il, n'existait que pour moi : le monde dans lequel j'évoluais avait d'abord perdu quelques coloris, puis de plus en plus, jusqu'à ce matin-là où il en était complètement dépourvu. C'était une progression cohérente, un peu comme le développement d'une maladie. Je savais que c'était passager, comme d'habitude, mais pour une fois, j'aurais souhaité avoir le choix de la fin de cette hallucination, pouvoir la prolonger tant que je voudrais pour explorer tout mon soûl cet univers aux nuances si marquées – le noir d'encre, le blanc éclatant –, dans lequel s'étaient déroulés certains de mes plus beaux rêves de jeune amateur de cinéma.

Je remontais la rue en titubant presque de joie, ravi de croiser des personnages qui n'étaient plus prisonniers du carcan de la réalité et qui, tous, devenaient intéressants en ce que leur disgrâce ou leur beauté prenait une importance qui découlait de l'art, et non de la vraie vie : quelqu'un les avait éclairés, maquillés, avait choisi leurs vêtements et leur coupe de cheveux, leur silhouette au complet avait été inventée. J'ai toujours aimé surveiller les figurants, au cinéma comme au théâtre, guetter leurs réactions, me demander qui ils étaient pour passer dans la rue à ce moment précis et où ils allaient, autre histoire, secondaire, mystérieuse, peut-être encore plus intéressante, à l'intérieur de celle qu'on voulait me raconter. Et c'est ce que je faisais en rentrant chez moi, ce matin-là. Je suivais les figurants du regard, je leur donnais une personnalité, une vie, un destin. Après la confession de Valentin Dumas, j'avais imaginé un peintre metteur en scène qui crierait « Coupez ! » et des assistants qui diraient aux figurants d'aller se changer avant de les payer, mais là c'était différent, j'étais dans un film sans limites qui remplaçait la vie, je faisais partie intégrante de la foule qui passait, et j'aurais voulu vivre mon expérience jusqu'au bout.

Mais je n'ai pas pu me rendre très loin parce que j'ai par accident buté contre un écueil que j'aurais trouvé drôle tant il était absurde si je n'en étais pas sorti endolori et affublé d'un bleu au flanc gauche. J'ai d'ailleurs eu la preuve chaque matin pendant assez longtemps que cet incident s'était bel et bien produit : si je faisais un certain geste du bras gauche en me savonnant dans ma douche, une douleur parfois fulgurante me traversait à la hauteur des côtes et je revoyais le grand policier imbécile lever son bâton…

Occupé que j'étais à regarder évoluer autour de moi les promeneurs – ouvriers, personnel de bureau ou de restaurant qui se préparaient à gagner leur croûte, travailleurs de la nuit qui rentraient chez eux, tous pressés, tous préoccupés –, je n'ai pas vu venir dans ma direction ce policier à visage de bandit qui, j'en suis encore convaincu, s'est mis dans mon chemin exprès pour que je lui rentre dedans. Il était beaucoup plus grand que moi et j'ai en effet piqué du nez à la hauteur de son menton. Si je me souviens bien, j'avais la tête tournée en direction d'une vieille madame dont je me demandais ce qu'elle pouvait bien faire dans la rue Saint-Laurent à l'heure du lever du soleil, lorsque mon front a malencontreusement – et à peine – heurté le menton du policier en question. Que je n'ai pas du tout amoché, au contraire de ce qu'il a prétendu aussitôt en hurlant :

« T'es pas capable de regarder oùsque tu vas, vieux calvaire ? T'as failli m'arracher le menton ! »

La mauvaise foi se lisait sur son visage et il se révélait un si piètre acteur que je n'ai pu – gaffe monumentale – m'empêcher d'éclater de rire.

« Excusez-moi, monsieur l'agent, c'est vrai que je regardais pas où je mettais les pieds… Chuis désolé d'avoir effleuré votre menton…

— Effleuré ? *Effleuré ?* »

Le coup est parti si vite qu'il n'a pas dû lui-même s'en rendre compte. Son bâton s'est abattu une seule fois sur mes côtes, mais l'éclair de douleur qui m'a foudroyé était si insupportable que je me suis écroulé sur les genoux, plié en deux. Lorsque j'ai relevé la tête, j'ai lu dans ses yeux l'affolement que produisait en lui son geste irréfléchi. Il se voyait déjà sans job, j'imagine, privé de son badge de policier, un divorce sur les bras, alcoolique au dernier degré, humilié, honteux et sans avenir pour avoir frappé sans raison valable un simple passant qui avait ensuite eu le front d'aller porter plainte. Alors il a profité du fait que je ne pouvais pas parler – je manquais d'air, je n'arrivais plus à respirer, comme lorsqu'on tombe brusquement sur le dos – pour retourner la situation en sa faveur et s'est mis à m'invectiver sans me laisser la moindre chance de protester. Je le faisais par gestes, la main levée, j'essayais même de lui demander de m'aider à me relever, mais j'aurais été incapable de placer une seule parole, même si j'avais pu m'exprimer, tant il était volubile. Incohérent, mais volubile ! Un groupe de personnes se formait autour de nous qu'il essayait de disperser entre deux injures.

« Des vieux robineux comme toi, j'en vois des dizaines par jour et y ont appris à me connaître ! De quel trou tu sors, là, hein ? Tu sens la boisson à plein nez ! Ça fait combien de temps que tu t'es pas lavé, hein ? Tu sens pas juste la boisson, tu sens la crasse ! Envoyez, vous autres, circulez, y a rien à voir, juste un robineux qui a couru après ce qui y est arrivé ! Penses-tu que j'vas t'aider à te relever ? J'vous ai dit de circuler ! Tu vas te relever tu-seul et t'es ben chanceux que je sois dans un de mes bons jours et que je t'emmènes pas avec moi au poste ! Y a-tu quelqu'un d'autre qui veut goûter à mon bâton ? »

La foule s'est dispersée. Personne n'était dupe, quelques-uns ont même dû être témoins de l'incident au complet, mais qui va avoir le courage d'affronter un policier en se rendant au travail au petit matin pour venir en aide à un robineux ? Parce qu'ils croyaient à cette partie de l'incident : j'étais un robineux soûl, c'était évident à ma barbe de vingt-quatre heures, à mon tremblement − causé par la douleur, mais ça ils l'ignoraient −, à mon incapacité à me relever. J'avais dû courir après mon malheur, comme il le prétendait, tant pis pour moi…

Le policier a replacé sa matraque à sa ceinture et a relevé ses culottes, vraie caricature du goujat qui trouve une excuse à l'un de ses méfaits dans la faiblesse de son adversaire et qui en profite sans honte. Un Tooth-Pick officialisé par un uniforme et un badge fournis par la ville, une estafette du pouvoir hypocrite assouvissant toute sa frustration de pauvre être humain sans envergure à l'intelligence limitée.

Je n'étais plus dans un film européen des années cinquante ou soixante, mais dans un polar américain d'avant-guerre. Chicago, Al Capone ou un de ses semblables, la prohibition, les contrebandiers qui faisaient passer l'alcool du Canada aux États-Unis par les Grands Lacs, peut-être Barbara Stanwyck cachée quelque part sous un porche, le revolver au poing, un sourire méchant aux lèvres, prête à tirer sur James Cagney à la moindre occasion. Le policier allait sortir son arme, la vraie, celle qui tue, pas son bâton, la lever en direction de la pauvre Barbara, et on entendrait un énorme coup de feu pendant que s'écroulerait la femme coupable, la méchante, la rebelle. Musique – Dmitri Tiomkin ? –, travelling avant sur le trottoir de Chicago mouillé de pluie au petit matin et, enfin, *The End* en lettres blanches sur fond de Barbara qui s'écroule, qui ouvre la main, qui laisse échapper l'arme inutile.

Le policier avait disparu, j'étais tout seul au milieu des badauds qui me contournaient pour continuer leur route, le monde en noir et blanc – du si beau noir, du si beau blanc – tournoyait autour de moi, j'avais peur de m'écraser sur l'asphalte et de me retrouver sur un lit d'hôpital dans un mauvais film québécois de mon adolescence où la musique serait fournie par un orgue poussif et où les acteurs (Guy Mauffette et Denyse Saint-Pierre ?) seraient tous affublés d'un accent français à couper au couteau emprunté à Gérard Philipe ou Suzy Prim.

Je suis rentré chez moi sans passer par l'hôpital, je ne croyais pas en avoir besoin malgré la douleur qui me vrillait les côtes, et, de toute façon, je voulais éviter les questions qu'on ne manquerait de me poser devant mon état. Je n'avais pas du tout envie de me retrouver au centre d'un fait divers qui défraierait les manchettes pendant des semaines – un homme au début de la soixantaine, un simple promeneur, victime de la violence policière, quelle aubaine pour la presse à sensation ! – et qui m'empêcherait, oui, je l'avoue, d'apprécier mon nouvel univers en noir et blanc. Du moins pour la période où il durerait. Car celui-là, au contraire des trois premiers, je l'appréciais ! Je n'en avais pas peur, je voulais au contraire m'y plonger, m'en rassasier avant qu'il ne disparaisse.

Le brillant des nuages m'aveuglait presque et, comme dans les salles de cinéma, il m'arrivait, si je levais la tête trop haut, de plisser les yeux pour pouvoir l'endurer. Le ciel, un vrai ciel de western, vibrait alors au-dessus de moi et je m'attendais à voir d'une seconde à l'autre surgir la cavalerie au son des trompettes et du piétinement des chevaux.

Les Indiens s'enfuiraient en hululant, le cercle des chariots découverts se déferait, Yvonne de Carlo embrasserait John Wayne.

À cause de la télévision, surtout des écrans géants tellement à la mode depuis quelques années, on a fini par perdre la notion du noir franc et du blanc éclatant auxquels nous avait habitués le cinéma et qui conféraient tant de vie aux films. Mon poste, en tout cas, me donne des tons infinis de gris – parfois même verdâtres – qui me font sacrer parce que le gris, aussi soutenu soit-il, est toujours trop pâle pour les lèvres peintes des actrices, ou alors trop sale pour les ciels infinis d'Antonioni. Quant à la couleur, elle joue le jeu de la vérité, elle se fait simple portraitiste de la réalité, alors que le noir et blanc procède de la fiction pure, de l'invention. Quand, dans *Jezebel*, Bette Davis arrive au bal dans sa robe rouge alors que toutes les autres femmes sont en blanc, nous *voyons* sa robe rouge même si nous sommes dans un film qui n'est pas en couleur et que le tissu que nous avons devant les yeux est noir ! C'est ça le miracle, le vrai miracle du cinéma, le faux qu'il faut recréer soi-même dans sa tête pour y croire.

Je me retrouvais donc en ce petit matin frisquet plongé dans un film comme on n'en fait plus depuis trop longtemps et qui me rappelait mes premières pâmoisons aux cinémas Saint-Denis, Capitol, Loew's, Palace, ou à L'Élysée, oui, la merveilleuse salle de L'Élysée où j'ai tant pleuré devant tant de beauté : Delphine Seyrig disait : « Non, laissez-moi, je suis fatiguée... », Jeanne Moreau chantait : « Elle avait des bagues à chaque doigt... », Giulietta Massina nous regardait en face avec un sourire triste au terme de la trop longue nuit de Cabiria. Et, par-dessus tout, la Sagarina dansait au bord de la mer pendant que le petit Guido ouvrait de grands yeux tout à la fois excités et étonnés. (J'étais allé voir *Huit et demi* tous les soirs pendant une semaine complète, au cinéma de la place Ville-Marie, et je crois bien que je ne m'en suis jamais remis.)

En remontant chez moi – je n'avais pas pris de taxi parce que je voulais goûter tout ce que je voyais malgré ma cuisante douleur au côté –, je m'amusais à m'imaginer dans mon *Huit et demi* à moi, petit François Laplante d'avant toutes ses maladies, inventif et rêveur, prêt à transcender le monde et à lui prêter un sens qu'il n'avait peut-être pas, mais qui se trouvait nouveau et intéressant. C'est peut-être, après tout, ce que j'avais fait dans ma jeunesse avec ma visite dans la Cité dans l'œuf, et même maintenant, cette année, depuis ces derniers mois, pendant ces incartades improbables à l'intérieur d'un tableau jamais peint exposé dans une cave qui n'existait pas. Mon *Huit et demi* à moi, ma transposition du monde, une œuvre inventée de toutes pièces pour passer à travers le quotidien monotone et répétitif d'un pauvre homme à la tête malade ? Je ne voulais pas me rendre jusque-là, analyser le contenu des récits que m'avaient faits les quatre créatures de la *Main* de peur d'y trouver une vérité à laquelle je n'étais pas prêt à faire face – mon Dieu ! la mort, l'horreur de la mort – et je me réfugiais dans les magnifiques images en noir et blanc qui se déroulaient sous mes yeux.

La veille encore, le parc Lafontaine était une créature défunte, du moins en suspens, alors que ce matin-là, baigné de noir profond et riche, et de blanc que rien ne venait ternir, il éclatait non pas de santé, on pouvait tout de même voir qu'il hibernait, mais de vie dormante. Le noir et blanc apportait un espoir de renouveau à un monde qui allait sommeiller pendant encore six mois, alors que la couleur n'aurait fait que souligner la tristesse de l'absence du vert, de la photosynthèse, de la vie.

Au moment où j'allais grimper l'escalier extérieur qui mène à mon appartement, juste comme je me faisais une réflexion sur la beauté que conférerait la neige à ce paysage endormi lorsqu'elle arriverait, elle s'est mise à tomber. On aurait dit que je l'avais appelée, conjurée, et qu'elle ne tombait que pour moi. La première de l'année, trop légère pour rester au sol, les flocons agglutinés les uns aux autres, rapides à atteindre l'asphalte, fondus aussitôt que déposés par le vent de novembre sur les trottoirs pas encore assez froids pour les garder intacts, les amalgamer, en garder une couche, puis deux... Je me suis assis sur la troisième marche malgré ma douleur au côté gauche et j'ai contemplé le spectacle en ouvrant la bouche pour essayer de gober quelques flocons. La neige d'*Amarcord*! Non, *Amarcord* est en couleur, l'une des seules erreurs de la carrière de Fellini. (J'aurais aimé pouvoir imaginer la teinte du manteau de Magali Noël lorsqu'elle se promène entre les congères de la petite ville lombarde, mais Federico, qui n'en avait pourtant pas l'habitude, me l'avait imposée, allez savoir pourquoi... Les couleurs de *Giulietta degli spiriti*, à la rigueur, je pouvais les comprendre, le délire de Juliette les expliquait, les appelait, même, mais pas celles d'*Amarcord*!)

Transi et douloureux, je suis entré chez moi avec l'intention de regarder le plus de DVD possible pour voir de quoi auraient l'air en noir et blanc les films en couleur que j'aimais. Et je ne fus déçu par aucun d'eux. Même les spectaculaires couchers de soleil de *Out of Africa* ou les grands fonds marins du *Grand bleu*, et malgré le manque de brillant de mon appareil de télévision. Mais c'était peut-être juste une distraction pour éloigner la peur qui s'installait peu à peu en moi : la prochaine fois que j'allais sortir de la taverne, si j'y retournais, est-ce que j'aurais perdu la vue complètement ? Et après la cécité, quoi ? La perte de l'odorat, du toucher, du goût ? Chaque récit me coûterait-il une partie d'un de mes sens, sauf l'ouïe, parce que j'en aurais besoin pour écouter jusqu'au bout les maudites confessions des fantômes de la *Main* ?

Je me suis donc réfugié pour un temps dans mon *Huit et demi* à moi. J'étais la Joan Crawford de *Mildred Pierce* quand je faisais le ménage, la Janet Leigh de *Psycho* quand je prenais ma douche (pourquoi pas ?) ou la Deborah Kerr de *The Innocents* quand je me laissais trop aller à mes chimères (toutes des femmes, me direz-vous, mais c'est que les rôles d'hommes ne m'ont jamais tellement intéressé… Je ne pouvais quand même pas m'identifier à Marlon Brando dans *Streetcar named Desire*, moi-même je n'y aurais pas cru !). Je passais mon enfance par le sas de Federico Fellini, je la transposais en noir et blanc, j'y ajoutais des scènes ressemblant à celles de *Huit et demi*, avec la chevauchée des Walkyries comme trame sonore et la grande ronde de tous les personnages de ma vie, morts ou vivants, comme finale. Et François Laplante fils dans le rôle du petit Guido joueur de flûte, celui de Montréal, pas celui venu d'Italie, avec son accent rocailleux hérité du dix-septième siècle français et sa sensibilité d'Américain du Nord élevé au Pablum. Et qui se trouve, passé soixante ans, enragé noir de ne pas avoir pensé à *Huit et demi* avant le grand Fellini ! Non que j'aie rêvé toute ma vie d'être un artiste, c'est faux, ma fiction était tout intérieure et j'aurais été bien incapable de décrire dans une œuvre littéraire ou picturale ce que j'avais dans la tête parce que je n'en avais pas le talent, mais les bouffées de frustration que j'avais pu ressentir au cours de mon existence devant la création des autres – surtout lorsqu'elle me subjuguait – remontaient à la surface, et c'est avec une sorte de défaitisme masochiste que je me laissais aller à mes divagations dans l'univers du cinéma d'avant les années soixante (*Huit et demi* date de 1963 et constitue, je crois, le point final de cette grande époque). Le monde me faisait la grâce d'être en noir et blanc pour un temps, et j'en profitais avant que les couleurs du réalisme, de la vraie vie, redonnent une poussée à la roue de ma destinée qui se remettrait, comme d'habitude, à tourner dans le vide.

Lorsque les couleurs sont revenues, d'abord par petites taches plutôt lentes à se développer puis de plus en plus rapides et précises, je les ai accueillies avec philosophie, sinon avec joie. J'avais vécu un certain temps dans un arc-en-ciel différent de celui que je connaissais, composé d'éléments multiples, subtils, toutes les nuances possibles de gris entre le noir et le blanc purs, je m'étais amusé à deviner la couleur de ce que je mangeais ou à me rappeler la teinte de mes vêtements, j'avais évolué avec une sorte de ravissement dans une recréation toute personnelle des vieux films que j'avais aimés, je savais que ça allait se terminer comme les trois fois précédentes, il fallait bien que j'en accepte l'issue avec résignation.

Le soir où les couleurs autour de moi ont eu terminé leur lent retour à la normale et que mon monde est redevenu ce qu'il avait toujours été, j'ai pris une cuite, la première depuis longtemps. J'ai bu à la santé de Jean-le-Décollé et des trois autres qui m'avaient permis de vivre des choses que je n'aurais pas connues autrement, tout en me disant, cependant, que si on me rappelait au Musée du Monument-National – je savais maintenant que c'était une convocation, que ce n'était jamais moi qui décidais de mes visites –, je ferais savoir – mais comment ? – que ce serait la dernière parce que je n'avais tout de même pas envie de devenir aveugle ou sourd ou de perdre l'odorat juste pour permettre à des gens, que je n'avais pas côtoyés de leur vivant et qui étaient sans doute tombés dans l'oubli depuis longtemps, d'accéder au paradis. À une de ses formes, en tout cas. Le ciel est-il compartimenté ? En existe-t-il un pour les médecins de toutes sortes, pour les scientifiques, pour les boulangers ? Au Monument-National, oui, je veux bien, les artistes, ratés ou non, ont envie de se réunir et de parler de leur métier, mais les oncologues ont-ils le goût de discuter de tumeurs cancéreuses *ad vitam aeternam* ? Et leurs femmes ? Existe-t-il un paradis des femmes de docteurs ? Quelle horreur ! J'étais soûl, je me laissais aller à divaguer, à penser n'importe quoi de n'importe qui, et ça me faisait du bien.

J'ai mis plusieurs jours à me remettre de cette cuite, j'en suis sorti avec un mal de tête qui ne me quittait plus et, à mesure que Noël approchait et que mon hématome pâlissait, j'ai fini par me perdre dans mon train-train quotidien, c'est-à-dire à peu près la même chose, mais en couleur.

Ma dernière visite à la taverne du soubassement du Monument-National s'est déroulée la veille de Noël par un froid sibérien qui n'avait rien de réjouissant. J'avais refusé une invitation de ma petite sœur (qui a tout de même cinquante-six ans) parce que je ne peux pas supporter son mari prétentieux et bavard qui a toujours des conseils à me prodiguer pour me sortir de ce qu'il appelle depuis des années mes *troubles*, avec, bien sûr, le mot *mentaux* sous-entendu mais très présent. Je faisais des emplettes pour mon souper de Noël en solitaire – un canard laqué acheté dans une rôtisserie du *Chinatown*, une gâterie que je me paye une fois par année – et mes pas m'ont tout naturellement mené vers le vieux théâtre de la rue Saint-Laurent. La porte était là. Elle était même entrouverte, cette fois, comme si elle avait été impatiente de me voir arriver. Alors que je n'avais entendu aucun appel. Existe-t-il d'autres confesseurs, me suis-je demandé, d'autres pauvres innocents prisonniers comme moi d'une situation qu'ils sont incapables de contrôler et qui les rend fous ? Une série de faux prêtres qui viennent à intervalles plus ou moins réguliers s'asseoir devant une quelconque créature de la *Main* pour écouter ses sornettes ? Mais si ce n'avait pas été moi que la porte attendait, aurait-elle été ouverte lorsque je me suis présenté devant le Monument-National ? Sans doute pas. Alors convaincu que c'était bien moi qui avais été convoqué, j'ai emprunté le corridor entre les deux bâtiments en frissonnant, mon canard laqué serré contre ma vareuse.

Mais personne ne m'attendait à la taverne. La table au milieu de ce que j'appelais le tableau était vide et les quelques personnages installés ailleurs devant une bière ou un verre d'alcool plus fort la regardaient avec convoitise – quelques-uns me fixaient même avec un regard suppliant – sans toutefois oser s'en approcher, et j'ai vite deviné pourquoi et par le fait même *qui* serait mon prochain vis-à-vis, si jamais il daignait se présenter : Tooth-Pick en personne, dont c'était le tour de se confesser et qui – noblesse oblige, à quoi d'autre s'attendre de sa part – se faisait désirer. J'ai décidé d'entrer dans la pièce – le tableau, devrais-je écrire – et de m'attabler dos au bar, comme d'habitude, pour voir ce qui se passerait. Il n'était pas question que je demande à Tooth-Pick de venir se confier à moi. Je n'avais d'ailleurs pas envie d'écouter ce qu'il avait à me dire ni le goût de me retrouver à sa place, barman de la taverne à perpétuité, pour avoir pardonné ses péchés à quelqu'un qui ne le méritait pas, comme m'en avait menacé Jean-le-Décollé au début de son récit. Je savais que personne ne voudrait que je pardonne à Tooth-Pick. Alors, quoi faire ? L'écouter et quitter les lieux en lui disant que je ne lui permettais pas de monter rejoindre les autres au théâtre ? Mais pourquoi l'écouter si je décidais d'avance de ne pas lui pardonner ? Ou bien être puni pour les péchés de Tooth-Pick, meurtres crapuleux et transactions malhonnêtes de toutes sortes étalés sur des décennies de vilenies et de *double crossing* ? Dieu m'en garde ! Et son récit risquant d'être le plus long, le plus noir, le plus violent de tous, il fallait tout de même se le taper, une veille de Noël, avec par-dessus le marché un canard laqué sous le bras !

J'ai d'abord entendu sa voix. Il me parlait depuis le bar où il faisait sans doute toujours semblant de couper ses damnés citrons en quartiers. Il voulait que je me retourne, je le sentais, que je lui fasse comprendre que je l'écoutais, mais je ne lui ai pas fait ce plaisir. C'est lui qui devait venir à moi, je ne ferais rien, pas un seul geste, pour lui faciliter la tâche. Il n'allait tout de même pas me débouler tout son récit dans le dos ! Mais il fallait s'attendre à tout de sa part, et surtout guetter ses arrières, je le savais.

Il a commencé son discours avec agressivité, ce qui ne m'a pas du tout étonné.

« As-tu le poil redressé d'excitation, vieux verrat ? As-tu hâte d'entendre les atrocités que j'ai à te conter ? Ben, tu vas être désappointé parce que j'ai décidé de pas rentrer dans les détails. Pour te faire chier. J'veux ben dire que j'ai tué, tout le monde le sait, y a rien de ben nouveau là-dedans, mais attends-toi pas à des descriptions à faire pâlir un mort ou vomir un docteur pourtant habitué à voir des horreurs. Y faut que je me confesse, je le sais, j'ai pas le choix, c'est d'ailleurs une des premières fois que j'ai pas le choix, O.K., allons-y, mais le récit que tu vas entendre sera peut-être pas celui que t'attendais, le défilé de descriptions atroces que t'espérais pour mettre un peu de piment dans tes ennuyantes nuits de solitaire de toute évidence frustré et confit dans ses rêves de violences inavouables. J'essaierai pas de faire pitié non plus, de jouer les victimes comme les autres avant moi l'ont fait, je sais que tu me croirais pas, que t'as probablement déjà choisi de pas me croire. Ça fait que si tu veux pas écouter, écoute pas. Si t'as préparé une sentence d'avance, garde-la ben au chaud, tu pourras me la sortir quand le temps sera venu de m'envoyer en haut ou de me renvoyer à mon bar. »

Lorsqu'il est enfin venu s'asseoir devant moi – j'imagine qu'il ne pouvait pas résister à la tentation de lire sur mon visage l'effet que son histoire aurait sur moi –, ce que j'ai eu sous les yeux était bien différent de ce à quoi je m'étais attendu. Il n'avait pas du tout l'allure patibulaire d'un hors-la-loi comme ceux auxquels le cinéma – encore lui ! – nous a habitués, il avait même moins l'air d'un bandit que le policier qui m'avait frappé quelques semaines plus tôt : c'était un homme encore très beau qui avait dû être spectaculaire quand il était jeune, sans une once de graisse sous la peau, le teint presque hâlé alors que les autres créatures de la *Main* que j'avais rencontrées lors de mes visites précédentes étaient pâles comme des linges, le cheveu bien fourni et bien placé, le regard – et c'était ce qui étonnait le plus – d'une désarmante franchise. Pas celle, fausse et teintée de mauvaise foi, des pégreleux des séries policières américaines, cette espèce d'arrogance à peine dissimulée qui vous laisse comprendre qu'ils tiennent le haut du pavé et que vous n'y pouvez rien, l'air fendant sous une couche d'humilité factice. Non. C'était peut-être là ce qui avait été sa plus grande force, c'était une franchise toute simple, convaincante, qui n'était pas l'expression de l'honnêteté, il n'essayait pas d'avoir l'air honnête, mais de la sincérité. Et peut-être avait-il en effet toujours été sincère dans ses mensonges, mystifications et autres fumisteries. Sans parler des crimes plus graves où il y avait eu mort d'homme. Mort d'humains plus faibles que lui qui avaient eu la naïveté de l'écouter, de croire à cette sincérité, justement, et d'emprunter les sentiers suspects et dangereux qu'il leur suggérait pour les avoir à sa merci.

La sincérité, la vraie sincérité, comme arme absolue. Et le charme comme atout majeur. Génial.

Il s'est penché au-dessus de la table et m'a regardé droit dans les yeux.

« Chus un vrai méchant, dis-toi ben ça. Chus même une caricature de méchant, un cliché, un petit Hitler de province, un dictateur du fin fond de la boîte à bois, et c'est pas toi, icitte, aujourd'hui, qui va changer quoi que ce soit à ça avec tes simagrées de confessions, de pardon et de rachat ! Tu me verras pas brailler et tu me verras pas non plus implorer ta clémence ! Écoute, écoute pas, ça fait aucune différence… Mais je sais que tu vas écouter. Les gars comme toi, les bons gars, sont toujours curieux d'aller sniffer les caleçons des autres pour voir si y sentent différent des leurs. Oui, c'est vrai, mes bobettes sentent probablement plus fort que les tiennes, mais c'est un parfum irrésistible et, je le sais, tu vas baver de plaisir devant ce que j'ai à te conter… Au fait, qu'est-ce que tu transportes dans ton sac de papier ? Ça sent bon… »

X

LA LÉGENDE DE TOOTH-PICK, LE BOURREAU SANS FOI NI LOI

« Fais pas c't'air-là, j'te le volerai pas, ton précieux canard laqué. Parce que c'est un canard laqué, hein ? Tu l'as acheté juste à côté. C'est vrai qu'y est bon. J'pouvais en manger quasiment tout un à moi tu-seul. Mais y m'intéresse pus. Les fantômes mangent pas. Y boivent, y coupent des quartiers de citrons, mais y mangent pas. En tout cas ceux qui sont icitte. Au-dessus, sur la scène du Monument-National, peut-être que c'est le banquet à l'année longue, en tout cas je leur souhaite, mais pas icitte. Icitte, c'est la brosse à l'année longue, la beuverie sans fin et l'attente. D'un insignifiant comme toi.

T'as l'air tendu. As-tu peur ? Fais-toi-s'en pas, t'es pas en danger. Dans le vrai monde, en haut, sur la rue Saint-Laurent ou ben sur la rue Sainte-Catherine, tu serais en danger, mais pas icitte, j'peux rien te faire. Malheureusement. J'sens que j'aurais pu avoir du fun avec toi. Ça fait que relaxe, man, fais comme t'as faite avec les autres, contente-toi d'écouter, si t'as le goût. Tu vas apprendre ben des choses. Peut-être pas celles que t'attendais, mais ça risque quand même d'être intéressant…

J'vas me contenter de te décrire le commencement et la fin de mon histoire. Le milieu, t'en sais déjà un bout, et les crimes à répétition ça finit par être ennuyant même si celui qui les a commis avait ben de l'imagination. Du sang qui gicle, ça reste du sang qui gicle, et des cris de souffrance, quand t'en as entendu un, t'es as toutes entendus… Ça finirait par devenir une simple liste de victimes et t'as pas besoin de savoir combien de monde j'ai tué. J'en ai probablement tué plus que tu penses et moins que tu voudrais, ça fait qu'une nomenclature est tout à fait inutile.

Quand chus débarqué icitte, je veux dire pas juste en ville, à Montréal, mais icitte, dans le *redlight*, sur la *Main*, j'arrivais de loin, j'étais déjà à moitié pourri, j'étais blessé dans mon corps et dans mon âme et j'm'étais juré que je me laisserais pus avoir par personne. J'avais laissé mon père, sa boisson, sa ceinture de cuir et son *bat* de baseball à Nominingue et y était pus question, jamais, que quelqu'un me touche sans que je l'aie demandé. Mon cul strié de rouge allait guérir une fois pour toutes, mon dos me ferait pus jamais mal et des larmes, ben, y m'en restait pus. Même pas pour ma mère qui avait dû me remplacer au mauvais bout de la ceinture de cuir, la pauvre. J'ai pas versé une seule larme de toutes mes années comme assistant de Maurice jusqu'au soir que je vas te conter plus tard, mais c'te soir-là, laisse-moi te dire que j'en ai chialé un coup…

Ben oui. Je te l'ai dit tout à l'heure que j'étais un cliché. Un cliché de bandit autant qu'un cliché d'enfant battu. J'ai pas été élevé, man, j'ai été garroché ! Chus pas le seul, je le sais, et si tous les enfants battus devenaient des bandits pour se venger de leur père, le monde serait encore moins endurable qu'y l'est déjà, ça aussi je le sais. Mais j'ai fait le choix que j'ai fait et je pourrais dire que j'en suis pas mal fier. Au moins, je peux me vanter de pas être resté une victime ! Qui a bu boira. Qui a été battu battra. Ben oui. Pis ? Me venger de mon père sur les autres m'a jamais, jamais, entends-tu, posé quelque problème que ce soit, et, c'est vrai, après quelques années, disons que mes premières intentions ont comme disparu, je l'avoue, et que j'ai fini par pus penser à pourquoi j'étais devenu ce que j'étais devenu. Parce que j'avais trop de fun. Parce que j'étais trop puissant. Parce que les raisons pour lesquelles le quartier au complet tremblait devant moi, même mon boss, mais lui c'était un cas à part, avaient pus d'importance en autant que j'étais sûr d'être celui qui gagnait, chaque fois, complètement, en utilisant mon corps en plus de mon intelligence, si y le fallait, ma belle tête, mon sourire, mon cul, en jonglant avec des couteaux de toutes les sortes et de toutes les grosseurs, du surin le plus fin jusqu'au gros couteau à viande si peu subtil, en jouant avec des armes à feu que j'aimais pas particulièrement parce qu'y réglaient les cas trop vite à mon goût et que j'utilisais juste quand j'étais trop pressé pour prendre mon fun. Oui, c'est vrai que c'est lâche de se sentir puissant juste quand on est armé devant quelqu'un qui l'est pas, mais c'est tripant en calvaire !

Sais-tu ce qui est le plus tripant dans tout ça ? Hein ? Écoute-moi ben. T'es en train de régler son cas à un *nobody* que personne aime et qui nuit à la bonne marche de tes affaires – la maudite Duchesse de Langeais, par exemple, avec sa langue de vipère, ou ben Willy Ouellette avec sa maudite compassion pour les filles qui sont là juste pour te faire gagner plus d'argent, des têtes de linotte, des droguées, des pas bonnes qui se laissent avoir trop facilement pour que tu les respectes –, t'es penché sur lui ou ben sur elle, ça chiale, ça bave, ça demande pardon sans savoir pourquoi, c'est prêt à tout pour un petit cinq minutes de sursis, *et toi t'es fier de pas être à sa place* ! Comprends-tu ? Tu pourrais l'être, tu l'as déjà été, t'as déjà été c'te petite chose souffrante-là sans défense qui savait pas pourquoi on vargeait dessus, et là c'est quelqu'un d'autre qui est à ta place, quelqu'un que t'as choisi, que t'es allé chercher, après lequel t'as peut-être même dû courir pendant un bout de temps, t'es enfin à l'autre bout de la ceinture de cuir, et *no way* que tu vas donner une chance à ta victime de s'en sortir, même pour cinq minutes ! Parce que ça serait montrer de la faiblesse, risquer de pus avoir l'air du plus fort.

Sais-tu ce que mon père me disait quand y avait fini de me varger dessus ? : « J'sais pas si t'as aussi hâte à la prochaine fois que moi ! » Sadiques de père en fils ! Si j'y avais examiné le cul, à mon père, j'aurais-tu trouvé des anciennes marques sur ses fesses de cultivateur, des blessures mal guéries héritées de son propre père ? Si y avait été en ville, mon père, y serait-tu devenu un Tooth-Pick, lui aussi, *moi* avant l'heure ?

Même quand l'idée de vengeance est disparue depuis longtemps, ton corps le sait encore que tu te venges si ta tête a décidé de l'oublier. C'est pus sur ton père que tu varges, c'est sur la faiblesse que tu montrerais si tu vargeais pus ! Et ça c'est tripant ! En plus, tu fesses pas sans raisons comme ton père le faisait, juste parce qu'y était paqueté et que tu t'adonnais à être là, victime facile, victime commode, tu le fais dans ton propre intérêt ! T'élimines des indésirables, des nuisances, des corps inutiles ou ben qui se sont mis dans ton chemin ! Tu rends service à Maurice qui va te le remettre au centuple parce qu'y peut pus se passer de toi, tu rends service à la *Main* que tu nettoies de ses déchets, tu rends service à ton monde qui en devient plus profitable pour toi. Même au sommet absolu de ta mauvaise foi, même quand ton fun est à son comble, tu sais que t'as raison d'agir comme t'agis parce que t'as la même utilité que les rats dans les villes depuis la nuit des temps : le nettoyage !

J'peux pas dire que j'ai été prisonnier de mon personnage de méchant, non, va pas penser ça, ce personnage-là, je l'ai toujours soigné, je l'ai cultivé, je l'ai inventé par petits morceaux, par petites touches, j'ai imaginé les expressions de son visage comme son langage corporel, j'y ai trouvé un vocabulaire plus étendu que celui qui traîne sur la *Main* pour montrer sa supériorité intellectuelle. J'ai volé des tas de mots à Jean-le-Décollé et à la Duchesse qui parlaient comme des dictionnaires, je savais même pas toujours si j'utilisais correctement les termes que j'utilisais, calvaire, je les répétais phonétiquement et je les corrigeais quand ceux à qui je les avais volés riaient de moi. J'ai jamais, au grand jamais, copié les manières de folle de la Duchesse, mais j'ai pigé sans regrets dans son vocabulaire ! J'ai même fourni à mon personnage une garde-robe haut de gamme dans le genre « bandit chic » pour le démarquer de la boue dans laquelle y avait à patauger tous les jours ! J'en ai faite le prototype parfait du goujat sans scrupule, de la crapule sans loi, la plus noire des âmes noires, la plus dangereuse des vipères – tu vois comme mon vocabulaire est varié ! –, l'ignoble exécutant des ordres venus de plus haut, même si personne était dupe de mes vraies intentions. Qui étaient de régner. Par-dessus Maurice. En le dominant comme je dominais tous les autres.

Comprends-tu ? Dis-moi que tu comprends un peu. Mais ça doit pas être facile, hein ? Un tel manque d'éthique. De morale. De probité. Tiens, un autre cliché pour toi : tous les moyens sont bons pour arriver. J'en suis un parfait exemple. Et c'est ma plus grande source de fierté.

Mais peut-être que tu penses que je te dis n'importe quoi pour excuser mon sadisme, ma cruauté, pour justifier mes crimes… Non, tu vois, j'ai jamais senti le besoin d'expliquer mes actions parce que j'en ai jamais eu honte, et si je le fais aujourd'hui, c'est pas pour que tu me donnes la permission de monter rejoindre les autres en haut, ça m'intéresse pas de monter en haut, j'vas t'expliquer pourquoi plus tard… Non, c'est juste pour que quelqu'un sache d'où je viens, une personne, une seule. Une personne que j'ai choisie, à qui je devais confier autre chose, des affaires épouvantables, des méfaits innommables, et que j'aurai étonnée par un aveu tout simple, un secret en fin de compte sans gravité… Je sais pas… tu vois, l'idée que quelqu'un qui est lié par le secret de la confession sache sur moi quequ'chose qu'y peut pas répéter m'amuse, même si c'est une chose sans grande conséquence…

J'espère que c'est bien ton cas, que t'as pas le droit de répéter ce qu'on te dit, comme un vrai prêtre, sinon je viens de me mettre un doigt dans l'œil... Mais après tout, maintenant que je règne pus sur la *Main*, tout ça a pus d'importance. Non, c'est pas vrai. Les légendes devraient rester des légendes. Et ceux qui croient qu'Elvis est toujours vivant quequ'part en Hawaii, éternellement beau et jeune, avec ses costumes de clown et ses cheveux teints, seraient ben désappointés qu'on leur prouve le contraire, même si ce qu'y pensent défie toute logique. Ce qui fait que la légende de Tooth-Pick non plus devrait pas être déflorée.

J'ai donc jamais confié à qui que ce soit d'où je viens et j'ai eu la chance de croiser personne de Nominingue depuis que chus arrivé icitte... Des histoires toutes plus ridicules les unes que les autres sont nées au sujet de mes origines, tu comprends ben, et j'en ai pas contredit une seule ! Y veulent savoir ? Qu'y cherchent, c'est certainement pas moi qui vas éclairer leur lanterne ! Y en a qui pensent que je viens d'Abitibi, d'autres de la Gaspésie, j'ai pourtant pas l'accent ni d'une région ni de l'autre... Y en a même qui prétendent que je viens d'icitte, de Montréal, de quequ'part sur le top du mont Royal, un fils de riche qui a mal tourné, un révolté de bonne famille... Veux-tu savoir une chose, man ? Dans la vie, là, contente-toi de hocher la tête au lieu de répondre aux questions qu'on te pose, et, la curiosité aidant, tu risques plus d'aboutir où tu veux aller. C'est pas en étant clair comme de l'eau de roche que t'arrives, c'est en laissant planer le mystère... Mais y est trop tard pour te donner des conseils, hein, t'es déjà vieux et tout le monde dans ton entourage doit déjà trop en savoir sur tes allées et venues, sur tes états d'âme... Mais je devrais pas te juger comme ça, ça pourrait te donner des idées de me punir...

Pour ce qui est de Maurice, je pourrais y régler son compte en trois mots, mais j'vas être généreux, pour une fois... Pauvre homme. Je l'ai manipulé comme jamais une femme a manipulé son homme, mais j'y ai jamais refusé quoi que ce soit, jamais ! Tant qu'y a voulu de mon cul – le seul cul d'homme qu'y a désiré dans toute sa vie, d'ailleurs, fouille-moi pourquoi, y avait pourtant des gars ben plus beaux que moi autour de lui –, y l'a eu, sans discussion ni négociation. Un cas de garde-robe qui est toujours resté dans le garde-robe. Faut dire qu'y avait pas ben ben le choix. Un chef de gang fif, vois-tu ça d'icitte, toi ? Non, ben sûr. Ce qui fait que tout ça se faisait en catimini, et c'était ben correct de même. Et si y a pas su ce que ça y coûtait – le vrai pouvoir, une partie de son argent, des connexions partout –, c'est parce qu'y voulait pas le savoir ! Y a pourtant été prévenu, des dizaines de fois, par toutes sortes de péquenauds qui disparaissaient tous comme par hasard pas longtemps après, mais y les a pas crus ! J'étais trop habile ! J'étais trop maniganceux ! Je le tenais trop par où tu penses ! Si Carmen avait su ça, c'est elle qui m'aurait tiré à bout portant dans ma douche ! Mais elle l'a pas su, c'est-à-dire qu'elle a pas voulu le croire, elle non plus. Parce que ça faisait son affaire. Un autre avantage que j'avais sur elle. Je savais tout à son sujet, elle, rien au mien. Non, c'est pas vrai. A s'est toujours doutée que je jouais dans le dos de Maurice. A y en a même parlé. Y a ri d'elle en l'accusant d'être jalouse de mon importance dans sa gang et de vouloir se débarrasser de moi... Tu vois, gagnant d'un côté comme de l'autre.

As-tu déjà vu un show de magicien oùsque tu te rendais compte au bout de quequ'minutes que c'était pas celui qui se faisait aller en avant de la scène, qui t'étourdissait avec toutes sortes de niaiseries et toutes sortes de grands gestes, qui était le vrai artiste, mais son assistant, l'autre, là, qui se tenait discrètement derrière les accessoires, le *nobody* qui se contentait de sourire à ce que disait le premier tout en s'affairant pendant que personne le regardait ? Ben, c'était moi, ça. L'assistant qui fait tout. Pendant que l'autre, l'aboyeur, attirait l'attention sur lui. Maurice a toujours été mon aboyeur sans jamais le savoir ! Et ceux qui s'en doutaient ont jamais pu le prouver. J'ai dirigé pendant des années un numéro de magicien que même ceux qui sentaient que Maurice en était pas vraiment la vedette ont pas pu dévoiler au grand jour parce qu'y était trop bien monté. Tout le monde en parlait, oui, c'est vrai, mais personne pouvait jamais rien dénoncer clairement. J'ai été un grand metteur en scène, dans mon genre. C'est de moi qu'on avait peur et c'est moi qu'on respectait !

Et veux-tu que je te dise quequ'chose d'autre ? Je l'ai ben aimé, au fond, Maurice… Comme un animal familier. Comme un bon gros toutou. C'était mon bon gros toutou qui me permettait d'avoir tout ce que je voulais et de me rendre partout où je voulais ! Je me penchais sur mon toutou, j'y susurrais à l'oreille une horreur que je voulais voir exécuter, et la chose s'accomplissait dans le temps de le dire. Soi-disant dans son intérêt à lui. Ça aussi j'espère que ça fait partie du secret de la confession, sinon…

Parce qu'y paraît que Maurice est en haut. T'en as peut-être entendu parler. En tout cas, c'est la nouvelle qui court. C'est une des raisons pour lesquelles je veux pas monter… Depuis le temps, quelqu'un – Carmen, ou ben son habilleuse, la tellement quelconque Bec-de-Lièvre qui était d'ailleurs la propre sœur de Maurice, ou ben la Duchesse – a peut-être fini par le convaincre que j'y ai joué dans le dos pendant des décennies et y m'attend avec une brique et un fanal ! J'ai pas envie de passer mon éternité à payer pour quelques dizaines d'années de pouvoir, ça fait que je préférerais rester ici.

L'autre raison qui m'empêche de vouloir monter au Monument-National, c'est que tout le monde qui est là m'haït et que j'ai pas l'impression que mon arrivée serait saluée comme un événement heureux. Ici, derrière mon bar, je peux toujours sauver la face, même si les rôles ont été inversés et que c'est moi, désormais, qui sers ceux qui me servaient avant : je peux rester dans mon coin, garder mon air de beu, faire celui que rien touche, mais pas en haut, pas au paradis… En haut, *tous* ceux à qui j'ai fait du mal, *toutes* mes victimes sont là ! Y penses-tu ? Même mes propres gros bras que j'ai dû faire assassiner parce qu'y essayaient de me fourrer sont là, le poing fermé, l'écume aux lèvres. Et laisse-moi te dire que si les fantômes peuvent se faire entre eux ce qu'y se faisaient quand y'étaient pas encore des fantômes, mon éternité va être loin d'être rose ! Icitte, à la taverne, le prix à payer est pas trop élevé, mais en haut… Qu'est-ce qu'y vont me faire, hein ? M'abreuver d'injures ? Me martyriser ? Me rendre coup pour coup tout ce que j'ai pu leur faire ? Merci bien ! Donne-moi des citrons à trancher n'importe quand, mais pas ça ! Une fois m'a suffi.

J'peux-tu m'allumer une cigarette ? Ça te dérange pas ? Comme tu vois, on peut encore fumer, au purgatoire. Je sais pas si au paradis faut jouer les saints, en plus du reste, et écraser à tout jamais… Ça non plus ça m'intéresse pas, tu dois ben t'en douter. Jouer les saints. Sans fumer.

Bon, faudrait passer aux choses sérieuses, hein ? Ma fin, par exemple. C'est ce que les autres t'ont conté, non ? Leur fin tragique, l'injustice à réparer, la permission enfin consentie d'accéder au paradis après un récit le plus détaillé possible des heurs et malheurs des pauvres créatures de la *Main* qui font donc pitié… Moi, j'attends aucun pardon, man. L'injustice, comme tu vas le voir plus tard, est irréparable dans mon cas parce qu'y faudrait punir trop de monde. Mais la fin est pas mal dramatique. Assez, ça j'en suis convaincu, pour t'exciter le poil des jambes.

J'ai toujours été reconnu, c'est vrai, pour la dureté avec laquelle je traitais le troupeau de guidounes de toutes sortes que Maurice m'avait confié en plus du reste, des femmes d'une grande beauté, des laiderons à faire peur, des hommes pas branchés qui se déguisaient en poupées ridicules ou en stars de cinéma improbables... Y me trouvaient toutes trop sévère, sans cœur, sadique... C'est vrai que je leur laissais rien passer, mais qu'est-ce que tu veux, je te l'ai dit tout à l'heure, je m'étendrai pas plus longtemps là-dessus, mais c'est important de s'en rappeler, c'est une armée de têtes de linottes, et si tu fais pas attention, y te montent sur le dos dans le temps de le dire et tu te retrouves à la tête d'une gang de bombes à retardement impossibles à gérer ! Y faut que tu sois intraitable avec ce monde-là, t'as pas le choix ! Y faut qu'y ayent envie de se sauver quand y te voient arriver et qu'y meurent de peur quand tu daignes t'adresser à eux autres. Tout en désirant ton cul parce que tu leur fais croire que t'es le plus beau ! C'est toi le vrai chef, c'est toi qui mènes, y faut jamais qu'y l'oublient.

J'ai été obligé de resserrer encore plus mes doigts autour de certaines gorges à la fin des années soixante, après la fermeture du Boudoir, un bar de travestis ouvert par Fine Dumas, une ancienne putain qui avait des idées de grandeur et qui avait lancé un établissement trop chic pour le *redlight* pendant l'Exposition universelle de 1967. Son affaire avait foiré tout de suite à la fermeture de l'Expo – tout était trop cher et la clientèle de la *Main* trop *cheap* – et ses travestis se sont retrouvés dans la rue, comme avant, sous ma responsabilité directe. Pendant toute la période oùsque son cabaret a marché, Fine Dumas était comme intouchable, allez savoir pourquoi, des hautes connexions, je suppose, ou un associé tout-puissant qu'a payait sous la table. On est même allé jusqu'à suggérer le nom du maire de Montréal ! En tout cas, j'avais pas le droit, c'est-à-dire que Maurice avait pas le droit d'aller marcher dans les plates-bandes de Fine Dumas pendant tout ce temps-là, et on a perdu un paquet d'argent. L'Expo universelle, mon petit gars, tu dois t'en rappeler, t'es t'assez vieux pour l'avoir vécue, c'était la manne pour nous autres, le Pérou, le pactole ! Ce qui veut dire que notre pactole aurait été plus rebondi si Fine Dumas avait pas été dans nos jambes. Mais fallait faire avec et on a faite avec, qu'est-ce que tu veux, on avait pas le choix.

Pour faire une histoire courte, j'ai dû doubler la surveillance quand Fine a disparu dans la brume, du jour au lendemain, avec son pactole à elle, et que ses filles se sont retrouvées, comme qui dirait, sous ma protection. Y en a qui ont tenu le coup – Jean-le-Décollé était une force de la nature dont j'ai été obligé de m'occuper moi-même, si tu te souviens bien –, mais y en a d'autres – Babalu, par exemple, ou bien Greta-la-Jeune, une espèce de fausse couche alcoolique au dernier degré – qui s'étaient déshabituées du trottoir, qui avaient été gâtées par le confort du Boudoir et qui ont eu de la misère ou qui ont pas pu pantoute revenir à leur point de départ. Ça fait que j'ai sorti mon grand fouet et tout le monde y a goûté. J'ai assumé l'odieux de la situation – on peut pas dire, d'ailleurs, que ça me causait un gros cas de conscience –, et j'ai fait régner sur la *Main* pendant un certain temps un régime de terreur dont on parle sans doute encore aujourd'hui. Des filles disparaissaient, d'autres étaient retrouvées amochées sinon mortes dans des coins reculés du quartier, des doigts étaient pointés dans ma direction, mais, comme je te le disais si bien tout à l'heure, personne pouvait jamais rien prouver, et moi je continuais à me pavaner sur la *Main* comme si de rien n'était dans mes habits de mille piasses et mes souliers italiens. Des fois, mes mouchoirs en soie étaient tachés de sang, mais je les avais bien repliés et ça paraissait pas. Y m'arrivait souvent de rire dans ma barbe quand on me rapportait la disparition d'un quelconque *nobody* et que je savais qu'y avait de son sang qui séchait sur mon mouchoir. Des fois, j'avais envie

211

de leur éclater franchement de rire en pleine face, au lieu de me retenir, et de leur dire : « Pourquoi tu viens me conter ça, tu sais que c'est moi, tu sais ce que j'ai faite, pourquoi tu viens me voir, moi ? » Mais c'était moi le chef, Maurice était trop occupé à compter son argent et à montrer ses bagues en or. Eux autres, tu comprends, y avaient pas le choix, c'tait à moi qu'y devaient parler quand quelqu'un manquait à l'appel, même si y savaient… En tout cas, tu vois le tableau, d'un côté un dictateur sans remords aucun, et de l'autre un troupeau de victimes qui se pensent innocentes et sans taches et qui arrêtent pas de bêler. C'est classique. C'est même pas du tout original.

Mais ça faisait de moi la personne la plus haïe du boute et, après quelques années, j'ai été obligé d'augmenter le nombre de mes gardes du corps parce que les regards qu'on me lançait quand je passais se faisaient de plus en plus meurtriers. Un peu comme quand moi je regardais mon père, enfant. J'avais atteint mon but, c'était moi qui tenais le bon bout de la ceinture de cuir, mais c'était une position moins confortable que ce à quoi je me serais attendu…

Patience, on y arrive… C'que je viens de te conter, c'tait juste une mise en situation, la grosse viande s'en vient, prépare-toi…

Si tu veux bien, à c't'heure, on va sauter un bon bout de temps, des années fastes, sans histoire, pendant lesquelles mon tableau de chasse, si tu vois ce que je veux dire, est devenu plutôt impressionnant… Moi et Maurice, Maurice et moi, on vieillissait tranquillement, y avait presque pus personne pour nous mettre des bâtons dans les roues. Faut dire aussi que la *Main* était pus ce qu'elle avait été, mais notre fortune était faite depuis l'apparition de la grosse drogue dure, et on pouvait rester assis sur notre steak sans trop se poser de questions au sujet de notre avenir… Ah, je pourrais quand même te raconter ben des histoires intéressantes, c'est pas la vie qui manquait, ni l'action, ça, tu peux me croire, mais ça serait des répétitions inutiles de vantardise et je sens qu'y faut que j'arrive au nœud de mon récit si je veux pas finir par t'ennuyer.

La chose s'est produite le soir de mes cinquante ans. Pour une fois, j'ai été naïf – tu vas voir à quel point – et je l'ai payé de ma vie.

Pourquoi je les ai crus quand y m'ont dit qu'y avaient préparé un petit quequ'chose pour mon anniversaire ? Pourquoi j'ai pas vu tout de suite que c'était pas un petit quequ'chose qu'y avaient préparé, mais un piège mortel qui dépassait en cruauté tout ce que j'avais moi-même pu imaginer dans toute ma carrière de tueur ? J'avais quand même pas besoin de penser qu'y m'aimaient, calvaire ! Malgré la peur panique que je leur inspirais, y sont venus me voir pour m'inviter à un party de fête, et je les ai crus !

Je revois la délégation, là, des petits sous-pimps qui me devaient tout et qui réussissaient à se plaindre que je les payais pas assez, des travestis, des putes, deux ou trois waiters de tavernes et de clubs qui me devaient de l'argent, un groupe compact et joyeux, le sourire aux lèvres en me regardant, pour une fois, aucune peur dans les yeux… Aucune peur dans les yeux ! Joyeux ! Du monde qui me devait de l'argent ! J'aurais dû me douter que quequ'chose tournait pas rond quand j'ai vu leurs mines réjouies, mais non, j'ai été flatté, peux-tu croire ! J'ai été flatté ! Moi, Tooth-Pick, la terreur du quartier depuis si longtemps, j'ai été flatté qu'une gang de péquenauds me préparent un party de fête pour mes cinquante ans ! J'ai même pensé que c'était la preuve parfaite de leur épouvante, que c'était de leur part la soumission totale que j'attendais depuis toujours, la suprême flagornerie pour s'attirer mes grâces.

Imbécile !

Le vent avait tourné d'un seul coup et j'm'en étais pas rendu compte.

Qui avait pu manigancer tout ça, veux-tu ben me dire, qui avait réussi à les convaincre de laisser leur peur de côté et de foncer ? Qui était assez puissant pour s'arranger pour que ça marche ? J'avais réglé leur cas à toutes les têtes brûlées, Carmen, la Duchesse, Jean-le-Décollé et ben d'autres, y avaient toutes disparu de la scène par une trappe que j'avais préparée moi-même, j'étais allé jusqu'à noircir leur mémoire en laissant courir à leur sujet après leur mort des bruits et des méchancetés fabriqués de toutes pièces mais très efficaces, comme toutes mes campagnes de salissage. J'étais donc protégé, sûr d'avoir la paix ! La question reste encore sans réponse, je sais toujours pas qui était derrière tout ça, ce faux party de fête là et, surtout, sa conclusion si étonnante. Je le saurai probablement jamais, et si j'étais pas déjà mort, ça me tuerait ! À moins, ben sûr, que quelqu'un vienne un jour s'en vanter, mais ça m'étonnerait, tout le monde connaît mon côté soupe-au-lait et la violence de mes réactions.

J'ai même passé une longue période à penser – on a rien que ça à faire, icitte, penser – que c'tait une vengeance de Maurice qui avait fini par découvrir le pot aux roses et qui fessait de la seule façon qu'y connaissait : en restant dans l'ombre. Et chus pas encore convaincu que j'avais pas raison. Sinon, comment expliquer que mes propres gardes du corps faisaient partie du complot ? Ou, en tout cas, qu'y ont fermé les yeux ? Qui avait les moyens de les payer ? Maurice ! En fait, j'aimerais pouvoir me dire que c'est ça la vraie solution à ce mystère-là, parce que ça serait une preuve d'amour de plus de sa part… J'aimerais mieux apprendre que Maurice, le grand patron, s'est senti abusé – y l'avait toujours été sans le savoir, le pauvre – et qu'y s'est vengé en me faisant assassiner comme y a si souvent fait dans sa vie pour se débarrasser des indésirables, plutôt que d'apprendre qu'une autre tête dure, une autre *pasionaria* ou ben un nouveau héros est apparu sur la *Main* sans que je m'en rende compte.

Quelqu'un de plus fort que moi ! Ou ben, pire que toute, un autre Tooth-Pick. Je pourrais pas supporter qu'un autre Tooth-Pick ait pris ma place à la tête des troupes de Maurice ! Dans son lit aussi, tant qu'à y être !

Mais je me laisse emporter...

Faut dire, aussi, que finir si vite après avoir régné si longtemps, c'est humiliant en calvaire !

J'vas te conter le fameux party, ça va peut-être me calmer un peu... Me calmer ? Qui est-ce que j'essaye de tromper, encore ? Ça va probablement m'enrager encore plus... Mais j'espère que ça va me faire du bien. Après toute, t'es là pour ça. Me soulager. En tout cas... On y va... Tiens ben ta tuque, man, on part...

La fête avait été organisée dans ce qui avait été autrefois le Coconut Inn, un club de Maurice qui avait connu des années de gloire mais qui avait fini par fermer parce qu'y était situé trop au sud sur la rue Saint-Laurent, en plein cœur du *Chinatown*, et que les clients de la *Main*, à partir des années quatre-vingt, aimaient mieux rester au nord de Dorchester. Même La Gauchetière était désormais trop au sud pour eux autres... Drôle d'endroit, que je me suis dit, mais c'est vide, y va y avoir plus de place, y va pouvoir y avoir plus de monde...

Si y avait eu plus de monde, y resterait pus rien de moi, calvaire... En tout cas...

Pas de ballounes dehors, pas de banderoles, pas de comité d'accueil, juste un drôle de silence, fébrile, je dirais, une obscurité pesante trouée par aucune lumière, et mes gardes du corps qui se trouvent un par un une excuse pour disparaître... J'ai souri en pensant qu'y s'en allaient rejoindre les autres pour entonner avec tout le monde la maudite chanson de Gilles Vigneault : « Mon cher Tooth-Pick, c'est à ton tour, de te laisser parler d'amour... », le nouveau *Happy Birthday* des Québécois depuis la fameuse nuit de la Saint-Jean-Baptiste sur le mont Royal, à la fin des années soixante-dix.

Innocent !

La preuve qu'y étaient pas si ben préparés que ça ou ben qu'y étaient moins sadiques que moi, même avec toute la motivation qui les animait, c'est qu'y ont pas pensé à faire durer leur plaisir ! Y ont agi comme des éjaculateurs précoces ! Moi, moi icitte, Tooth-Pick, avec mon imagination et mon expérience, j'aurais préparé une mise en scène élaborée, j'aurais commencé les festivités tout doucement, j'aurais laissé l'autre, le niaiseux qui se faisait piéger comme le dernier des amateurs, penser pendant un certain temps qu'on allait effectivement le fêter et que la soirée serait mémorable... Je sais pas, moi, une coupe de champagne, des chansons, des chapeaux de papier crêpé, des confettis, peut-être même des faux cadeaux enveloppés dans du beau papier de couleur déposés en pyramide sur une grande table, mais quequ'chose, calvaire, pas juste ces faces d'enterrement-là, ciboire !

Mais eux autres...

Trop pressés de faire c'qu'y étaient venus faire, y m'ont tout de suite sauté dessus. J'avais pas passé le seuil de l'entrée qui sentait la poussière et le moisi, j'avais même pas eu le temps de sortir mon mouchoir de soie parfumé pour le porter à mon nez, que des gros bras se sont jetés sur moi et que j'me sus dans le temps de le dire retrouvé épinglé sur le plancher. C'est sûr que j'ai tout de suite compris ce qui allait se passer, que mon temps était venu de payer pour tout ce que j'avais fait depuis les années soixante, que l'heure de la vengeance avait enfin sonné pour eux autres, mais je pouvais pas m'empêcher de penser, parce que chus un perfectionniste même si c'est un perfectionniste du crime, que tout ça manquait d'allure, de décorum, je sais pas, moi, de *fioritures* ! Ça manquait de fioritures, de bébelles, d'atmosphère ! C'était pas festif, calvaire ! Comprends-tu ce que je veux dire ? C'était pas festif ! Absolument aucun sens de la fête ! Y m'avaient enfin à leur merci et y avaient même pas l'air d'avoir du fun, saint sacrement !

Tout était tellement sérieux, si t'avais vu ça !

Personne a crié *youppi* ou ben *hurray* quand j'me sus retrouvé sur le plancher de bois abimé et sale, aucune expression de triomphe s'est manifestée, y en a pas un, calvaire, qui s'est montré excité ou au moins content de ce qui se passait, peux-tu croire ? Tout s'est fait dans le silence total, sans joie, on aurait dit, alors que moi, à leur place, j't'aurais organisé une tabarnac de sauterie dont la *Main* aurait eu toutes les misères du monde à se remettre ! Gang de sans-envergure ! Minables jusque dans la vengeance. Non, c'est pas vrai, je peux pas dire ça. En toute honnêteté, je peux pas dire ça parce que ce qu'y m'avaient préparé était quand même pas piqué des vers. C'était pas pantoute minable. C'était peut-être pas des plus ingénieux non plus, mais ça m'a fait souffrir mille morts, et j'en tremble encore quand j'y pense...

Sais-tu ce qu'y m'ont faite, les écœurants ? Sais-tu ce qu'y m'ont faite ?

Y m'ont attaché sur une chaise et y m'ont découpé comme un morceau de viande, calvaire ! Pas débité à coups de hache comme y m'était déjà arrivé de le faire à quelques reprises, mais coupé, coupaillé, dentelé à petites touches de couteau dont chaque blessure était pas grave en soi, mais la totalité mortelle ! Y m'ont laissé me rendre jusqu'au bout de mon sang ! Comme un cochon à l'abattoir ! Et comme un cochon, j'ai braillé, j'ai renâclé, j'me sus débattu !

Mais j'vas trop vite... j'vas trop vite. Tant qu'à le conter, faut que je le conte comme du monde...

D'abord, y m'ont attaché sur une chaise, les poignets dans le dos, les mollets collés sur le barreau d'en avant. Une caricature de mauvais film américain. Et ensuite y se sont mis en rang devant moi. Ça faisait une longue filée qui se rendait jusqu'au fond de la salle. Moi, j'avais vite repris le contrôle, je savais qu'y fallait pas que je me laisse aller à la panique, ça fait que je les insultais, je leur promettais une vengeance épouvantable, une vie pas endurable, un règne de terreur comme y en avaient jamais vu si y touchaient à un seul cheveu de ma tête… Eux autres, y souriaient même pas. Y auraient pu m'insulter, eux autres aussi, me cracher dessus, varger sur moi à grands coups de pieds, y avaient toutes des raisons de le faire… Ben non. Sérieux comme des papes. C'est ça qui me faisait le plus peur – oui, je commençais à avoir sérieusement peur –, le fait qu'y soient si sérieux. Ça se pouvait quand même pas qu'ayent pas eu de fun ! Y m'avaient enfin à leur merci ! C'était à mon tour d'avoir peur, là, pourquoi pas en profiter pour prendre leur plaisir ?

À un signal que j'ai pas vu, y ont toutes sorti une espèce de petit canif de poche qu'y ont ouvert en le levant devant leurs yeux. J'ai tout de suite compris ce qu'y voulaient faire, chus pas fou, je pratique ce genre de choses-là depuis assez longtemps, j'ai gossé assez de doigts dans ma vie et j'ai coupé assez d'orteils pour savoir ce qu'on peut faire avec un canif ! J'ai redoublé mes menaces, j'ai hurlé, j'ai craché en direction des premiers qui se sont approchés de moi… Sourds et muets. Frettes comme des banquises. Le visage fermé. Sans émotion.

Les premières petites coupures, en majorité sur les bras, quelques-unes sur les joues, m'ont fait rire, c'est fou, hein ? Je pouvais tellement pas croire qu'on était en train de me faire ce qu'on était en train de me faire, surtout le soir de mes cinquante ans, que je pouvais pas m'empêcher de rire ! C'était un rire nerveux, c'est vrai, un rire de panique parce que la panique commençait à me gagner malgré moi, un rire de peur, d'étonnement, mais aussi, et ça j'en suis fier, un rire de provocation ! Ben oui, vous me faites peur, ben oui, chus sans défense devant vous autres pour la première fois de ma vie, mais allez-vous avoir le courage d'aller jusqu'au bout, hein, mes enfants de chienne, allez-vous *oser* vous rendre jusqu'au bout et m'assassiner froidement ? Moi, votre maître absolu !

Après le premier tour, quand y ont toutes eu passé une fois devant moi, je sais pas, au sang qui coulait, je suppose, ou ben à la douleur qui commençait à se faire sentir, ou ben à cause de leur froideur, justement, de la détermination que je lisais dans leurs yeux, j'ai compris qu'y iraient jusqu'au bout, qu'y m'achèveraient à petit feu, qu'y attendraient que je sois mort pour commencer le party ! Mon party. Mon party de fête. Et j'ai craqué. Comme le dernier des *nobody*. Comme le plus lâche des trous de cul incapables d'endurer un peu de douleur... J'me sus mis à brailler comme un veau, à supplier, oui, moi, Tooth-Pick, j'ai supplié c'te gang de pas bons là, la morve et les larmes me coulaient sur le menton, je tremblais comme une feuille, je lançais des petits cris d'animal qu'on martyrise, j'me sus humilié, j'ai demandé pardon, j'ai promis mer et monde, j'ai tout fait ça ! J'ai tout fait ça, exactement comme une bonne partie de mes victimes ! Pareil ! Un morceau de viande qui accepte pas que la fin soit venue et qui est prêt à tout promettre pour s'en sortir !

J'ai même chié dans mon costume Armani, man, peux-tu croire !

Pendant leur deuxième tour – toujours les mêmes canifs, les mêmes petits coups, les mêmes blessures en surface –, y ont commencé à parler, à citer des noms, en fait. Chacun prononçait le nom d'une de mes victimes en me donnant son petit maudit coup de couteau : ça, c'est pour Untel, ça c'est pour Unetelle. J'les ai toutes entendus, tous les noms, tous les noms de ceux que j'avais abattus ou ben martyrisés depuis si longtemps, les plus connus comme la Duchesse et Carmen, et les plus obscurs, Willy Ouellette, madame Chartrand, la vendeuse de journaux qui insistait toujours pour que j'y paye les exemplaires de magazines que je pigeais dans son cabanon, d'autres que je reconnaissais même pas, ça faisait trop longtemps, et que j'avais fini par oublier parce qu'y avaient eu aucune espèce d'importance...

Au troisième tour, j'avais même pus la force de réagir. J'étais une plaie béante, je saignais de partout, mes vêtements étaient collés de sang, de pisse, de marde… Et c'est là que les coups ont commencé à se faire plus sérieux, plus profonds, plus graves. On aurait dit que les lames avaient allongé, calvaire ! Ça faisait mal au point que je tremblais de partout. À la fin, là… À la fin… Tu veux un autre cliché ? Ben, en v'là un beau : à la fin, là, au fond de la salle, eux autres aussi sérieux et silencieux, j'les ai toutes vus, ben oui, fallait s'y attendre, c'est pas original, mais y étaient toutes là en groupe compact comme si y avaient posé pour un tableau de maître, mon tableau de chasse au grand complet, les fantômes de mon hécatombe étalée sur trente ans : Jean-le-Décollé sans sa tête, Carmen avec son trou dans le ventre, la Duchesse avec ses tripes fumantes dans ses mains, Dum-Dum, mon garde du corps pendant si longtemps, avec ses pieds coulés dans le ciment. Et tous les autres, les petits rats de ruelle comme les gros boss de gangs rivales, les putes sans cervelle comme les dealers sans-dessein. J'en voulais pas, de ce cliché-là, je voulais pas, je refusais de mourir comme une caricature de pauvre petite victime sans défense, pas moi, pas Tooth-Pick, pas la terreur de la *Main*, ça se pouvait pas !

Pendant ce temps-là, les bras redessinaient le même geste devant moi, je les voyais me pleuvoir dessus, je sentais les coups me tailler les nerfs, la viande, accrocher des organes, dévier sur un os…

Et sais-tu ce qui me fait le plus chier, man ? Sais-tu ce qui me fait le plus chier ? *C'est que je sais pas qui c'est qui m'a porté le coup de grâce ! Je saurai jamais qui c'est qui m'a tué !* Haïr cent personnes, c'est trop compliqué, ça demande trop d'énergie, je voudrais pouvoir en vouloir à une seule, à celui ou ben à celle qui m'a porté le dernier coup, celui qui m'a achevé, qui m'a gratifié de l'ultime insulte ! C'est cette personne-là que je voudrais pouvoir haïr, une personne unique avec des raisons personnelles que je connais de vouloir me tuer, pas un groupe compact de harpies sans humour qui m'ont fessé dessus comme si j'avais été une simple slab de viande ! Chus juste une slab de viande qui s'est rendue au bout de son sang, alors que je voudrais être un individu martyrisé qui a le droit de rêver de se venger ! Quand chus mort, j'étais inconscient et j'ai pas vu la dernière main qui me frappait, calvaire, c'est pas juste !

Si tu m'obliges à monter en haut parce que tu vas m'avoir pardonné, man, si tu m'obliges à aller rejoindre les autres dans leur maudit paradis, je saurai pas qui haïr ! J'vas être tout seul contre toutes eux autres pour le reste de l'éternité ! Ça fait que pardonne-moi pas, s'il te plaît, laisse-moi rester icitte, j'vas continuer à couper mes citrons dans mon coin en me faisant le plus discret possible…

Prends ma place, tiens ! La veux-tu, ma place au paradis ? Prends-la ! J't'la donne ! Ça m'intéresse pas, moi, d'aller écouter jusqu'à la fin des temps la vie de La Poune ou celle de Gloria la si peu glorieuse ! Toi, t'aimes ça écouter, et eux autres aiment ça se confier à toi, ça fait que profites-en ! Profite de mon offre ! Paye-toi une traite ! Y vont t'accueillir en triomphe, moi, y me garrocheraient ce qui leur tomberait sous la main et y sortiraient peut-être même encore une fois leurs petits maudits couteaux ! Prends ma place ! Prends ma place ! J't'la donne ! R'garde ! T'as juste un escalier à grimper ! Y sont toutes en haut, qui attendent ! Vas-y, man ! C'est ma traite ! T'es le bienvenu !

Mais laisse-moi ton canard laqué. T'en auras pas besoin, en haut… Et c'est délicieux avec du citron… »

ÉPILOGUE

LE PARADIS À LA FIN DE VOS JOURS

La curiosité l'a emporté. De toute façon, personne ne voulait voir Tooth-Pick au Monument-National et lui-même préférait ne pas s'y rendre… Non pas que j'aie eu l'intention de m'immiscer au Musée des créatures de la *Main* pour y rester, je savais bien que ce serait impossible, mais l'occasion m'était offerte d'y jeter un coup d'œil et je n'ai pas pu la refuser.

L'escalier était raide, presque une échelle, et je devais me tenir aux barreaux supérieurs pour ne pas perdre l'équilibre en grimpant. Une trappe au plafond donnait accès à ce que tous les gens qui s'étaient confessés à moi sauf Tooth-Pick avaient décrit comme le comble du bonheur, leur grand espoir de passer une éternité agréable, le fameux *paradis à la fin de vos jours* typiquement québécois version *redlight*, je suppose, avec de l'alcool à volonté et, en prime, l'oubli total des anciennes souffrances. Et l'absolution tant souhaitée.

Je ne savais pas du tout à quoi m'attendre. Des fantômes qui errent dans un théâtre vide ? Des ectoplasmes figés dans des poses compassées comme les sculptures de cire de chez Madame Tussaud ? J'ai jeté un dernier coup d'œil derrière moi avant de quitter la taverne. Tooth-Pick avait retrouvé son bar et s'était remis à sa tâche habituelle. Il a levé la tête dans ma direction, m'a fait un sourire. Je me suis demandé depuis quand cet être abominable n'avait pas souri de façon aussi franche, avec un tel soulagement imprimé sur le visage, puis j'ai ramené mon attention sur le trou dans le plafond.

J'ai poussé la trappe qui s'est ouverte avec une étonnante facilité… et je suis tombé en plein party de Noël ! Tout de suite en passant la tête, j'ai compris que j'étais au centre exact de la scène, là où autrefois avaient dû disparaître tant de revenants de mélodrames ou de héros d'aventures de cape et d'épée, la porte des enfers d'une production d'*Orphée* ou le double fond d'un numéro de magicien qui permettait à l'artiste de s'éclipser sous les applaudissements ébahis de la foule. J'ai vu Fridolin lui-même en surgir et crier, échevelé et hilare : « Sacrifice que j'ai des choses à vous conter ! », ou le spectre du père d'Hamlet monter sur les remparts de son château en réclamant vengeance d'une voix caverneuse. Cette fois, cependant, ce n'était que François Laplante, humble confesseur non pas par choix mais bien par hasard, de qui il ne fallait attendre aucune espèce de performance et qui se trouvait là par simple curiosité.

Il était presque minuit et le théâtre scintillait de mille feux. On avait dressé et décoré un magnifique arbre de Noël au-dessus du trou du souffleur (je me suis demandé pendant un quart de seconde où les fantômes pouvaient bien trouver leurs arbres de Noël, mais j'ai décidé, pour ma santé mentale, de laisser de côté ce genre de considérations) et des guirlandes lumineuses pendaient un peu partout. Je me suis rendu compte avec ravissement que je n'avais rien perdu de ma faculté de voir les couleurs, je baignais dans des roses flatteurs, des jaunes brillants, des bleus très doux… La salle elle-même n'était qu'une tache éblouissante parce que des projecteurs aveuglaient ceux qui, comme moi, se trouvaient sur la scène. J'ai levé une main devant mes yeux et j'ai vu que le théâtre était rempli à capacité de personnages de toutes sortes d'époques plus ou moins récentes (en fait, de la fin du dix-neuvième siècle à nos jours) et qu'ils étaient tous occupés à lever leur verre, à rire ou à raconter à leurs voisins de fauteuil quelque chose de léger et d'amusant. Moi, je devais avoir l'air d'un personnage de Beckett, une tête qui sort d'un trou avec une main en visière… et pas grand-chose à dire.

De toute évidence, on ne s'attendait pas à accueillir quelqu'un de la taverne ce soir-là, et ma grande entrée est passée inaperçue. Je me suis extirpé de mon trou à quatre pattes, je me suis levé en me tenant les reins parce que je ne suis plus très jeune et que me déplier est devenu une tâche ardue, et personne n'a jeté un seul regard dans ma direction. Il faut dire que la fête battait son plein : des conversations animées s'entrecroisaient, des chansons s'élevaient d'un coin de la scène où trônait un piano droit, des couples dansaient.

J'ai bien sûr reconnu des tas de gens, des célébrités qui s'étaient produites sur la scène du Monument-National — Rose Ouellette avec son caluron posé sur le bout de la tête, Gratien Gélinas qui faisait son baisemain si original (la joue posée sur la main de la dame) à Jacqueline Plouffe qu'il venait de croiser accompagnée de son mari, un chanteur dont j'oublie le nom (je viens de le retrouver : Gérard Paradis), des personnages moins connus que Tooth-Pick aurait sans doute appelés des *nobodys* et qui, dans leur temps, avaient dû hanter la *Main*. Ceux-là, je n'aurais pas pu les nommer, je ne les connaissais pas, mais j'aurais juré que cette si belle *cow-girl* à la voix de mezzo, près du piano, était la fameuse Carmen, la chanteuse qui avait voulu révolutionner la *Main* et qui l'avait payé de sa vie, ou que cet espèce d'éléphant androgyne qui faisait des gestes de grande dame en parlant beaucoup et fort était la Duchesse de Langeais elle-même dans toute sa splendeur. Et Maurice ? Lequel parmi tous ces hommes hilares était Maurice-la-piasse dont j'avais tant entendu parler, mais au sujet de qui j'en savais si peu ? Se retrouvaient-ils ainsi tous les soirs, ou bien avais-je eu la chance de tomber sur un événement exceptionnel, Noël, qu'on fêtait de façon particulière ?

Je trouvais tout de même curieux que personne ne fasse attention à moi. Je venais pourtant d'émerger du trou dont ils étaient tous sortis un jour ! J'aurais cru qu'ils accueilleraient un nouveau venu avec plus de chaleur, qu'ils l'entoureraient, qu'ils le congratuleraient, mais ils faisaient comme si je n'étais pas là et continuaient leurs petites affaires, peu hospitaliers, c'était plutôt étonnant, pour des gens pompettes en plein party. Puis une idée m'a traversé la tête. Je me suis dirigé vers une dame que j'avais cru reconnaître quelques secondes plus tôt et qui venait de terminer une chanson ou un air d'opérette. Oui, c'était bien elle, l'une de mes idoles de jeunesse, Olivette Thibault, qui avait fait les beaux jours des Variétés Lyriques ici même, avant de devenir une star de télévision et la divine vedette de *Mon oncle Antoine*, le chef-d'œuvre de Claude Jutra. J'ai exécuté devant elle ce que je connaissais qui se rapprochait le plus près d'une révérence – on était bien loin de l'élégance du baisemain de Gratien Gélinas – et je me suis présenté à haute et intelligible voix.

Rien.

J'avais donc deviné juste. J'étais un fantôme chez les fantômes ! Si je restais là, dans ce paradis qui n'était pas pour moi, demeurerais-je l'éternel spectateur que personne ne voit et qui ne peut que suivre, impuissant, ce que disent les autres ? J'avais écouté avec attention les cinq récits qu'on m'avait racontés à la taverne, mais j'aurais pu répondre si j'avais voulu, j'avais droit de parole parce que l'autre me voyait, m'entendait, aurait pu me toucher. Rien de ça ici. Je venais d'aboutir dans le paradis de quelqu'un d'autre et, c'était évident, je n'y étais pas le bienvenu. On n'allait pas me mettre à la porte ni m'invectiver, non, on ne savait même pas que j'étais là !

J'ai essayé de toucher le bras de madame Thibault. Ma main a passé au travers de son corps.

Elle était impalpable pour moi, je n'existais pas pour elle. En relevant la tête, j'ai aperçu dans la coulisse un énorme buffet monté sur des tréteaux placés le long des murs. Ce serait sans doute la même chose pour les victuailles. Des accroires de viande, des mensonges de légumes, des idées de vins fins. J'aurais ri si je n'avais pas eu si faim. On a donc faim au ciel ? Les fantômes mangent et boivent ? Forniquent-ils aussi ? Et où ? Dans les loges désaffectées du Monument-National, au balcon, dans le hall ? Au fait, avaient-ils accès au hall du théâtre, ou bien étaient-ils condamnés à hanter la salle de spectacle sans jamais en sortir ?

Soudain, je n'avais plus du tout envie de vérifier ce genre de choses… Rien ne m'intéressait moins au monde que de continuer d'évoluer parmi ces entités inconscientes de ma présence et avec qui je ne pouvais échanger une seule parole. Je ne m'étais jamais senti aussi abandonné de toute ma vie ! Je crois que ça s'appelle le syndrome de l'imposteur : on est convaincu de ne pas être à sa place, ou alors qu'on ne mérite pas ce qu'on a, qu'on est indigne, un misfit, quoi, un inadapté. J'étais un inadapté et j'étais coupable de me tenir sur cette scène avec des gens – des gens ? en tout cas, ce qui avait autrefois été des gens – qui avaient rêvé toute leur vie d'aboutir là et qui, eux, l'avaient mérité.

Quelqu'un a crié : « Monsieur Daunais voudrait vous dire quelques mots ! » et le silence est tombé sur la salle. Lionel Daunais, tel que je l'avais connu dans les émissions de variétés des débuts de la télévision, mince, guindé, un peu emprunté dans sa façon de s'exprimer, s'est approché du bord de la scène, s'est placé à côté de l'arbre de Noël, sans doute pour profiter de son éclairage flatteur, et s'est mis à parler sur un ton trop joyeux qui me déplut. Il était question de minuit qui approchait, de l'année qui s'achevait – comme si ça avait de l'importance dans ce monde plongé dans l'éternité ! –, de la nouvelle qui allait commencer dans une semaine…

Tout ça avait soudain l'air d'un vulgaire party de bureau. Tout le côté mystique et mystérieux du monde dans lequel je me trouvais plongé depuis quelques minutes était gâché par un discours de circonstance rempli de clichés. Les fantômes aussi pouvaient se permettre d'être ennuyeux…

Et là, juste devant lui, au troisième ou quatrième rang, j'ai aperçu Gloria, la si peu glorieuse mais si passionnante interprète du répertoire sud-américain de l'après-guerre, qui me regardait droit dans les yeux. Elle pouvait donc me voir. Quelqu'un ici pouvait me voir, je n'étais pas tout à fait seul ! Mais en étudiant plus attentivement son visage, je me suis rendu compte qu'elle bougeait la tête de gauche à droite, de droite à gauche. Non. Elle me faisait signe que non. Mais pourquoi ? Elle a levé la main au bout de quelques secondes et a pointé son index en direction de la trappe dans le plancher.

Elle me faisait signe de partir.

Elle me congédiait !

J'étais congédié du paradis de la *Main* par un de ses plus beaux fleurons ! À qui j'en avais d'ailleurs permis l'accès quelques mois plus tôt et qui avait braillé de reconnaissance. Elle considérait donc qu'elle en était digne mais pas moi ?

M'est revenue alors à l'esprit la possibilité que tout ça, la taverne, le paradis, le party de Noël, ne soit qu'une autre manifestation de mon cerveau déréglé, l'invention pure et simple de mon psychisme débordant, un univers que je m'inventais depuis des mois pour… Pour quoi, au juste ? Formuler quelque chose ? Mais quoi ?

J'étais debout au milieu de la scène du Monument-National – mais y étais-je seulement ? –, j'écoutais un vieux beau faire un discours navrant pour une foule composée de fantômes d'anciens artistes et d'un échantillonnage de créatures de la petite pègre de Montréal, tous disparus depuis un certain temps, j'étais moi-même un fantôme pour eux qu'ils ne pouvaient ni voir ni entendre… Si tout ça était faux, qu'est-ce que ça pouvait bien vouloir dire ? Qu'est-ce que j'essayais d'exprimer à travers ce songe éveillé étalé sur une période de plusieurs mois où régnait en grande partie le thème de la mort et de la rédemption ? Ce n'était pas la première fois que je me posais cette question – peu s'en fallait, je me butais à ce problème plusieurs nuits par semaine –, je n'y trouvais toujours pas de réponse et ça m'exaspérait.

Non, j'étais bien là où je croyais être. Tout ça était vrai, il le fallait, je n'étais pas fou, ce que m'avaient raconté les cinq personnages de la taverne comme les inquiétantes séquelles dans ma vie privée – la perte d'une partie de la vue, différente après chaque visite –, les cruautés de Tooth-Pick comme le voyage de Gloria à Miami, la confession écrite de Valentin Dumas autant que la fin tragique de Jean-le-Décollé et de Willy Ouellette. Mais quelque chose me disait que j'avais gâché la conclusion de cette bizarre aventure en acceptant de prendre la place de Tooth-Pick, qu'en devenant l'usurpateur d'un coin du paradis de la *Main*, j'avais en quelque sorte brouillé les cartes, déréglé le mécanisme du bon déroulement des épisodes de la vie du *redlight* que je devais connaître et des épreuves que j'avais à traverser – mais pourquoi ? – et que j'avais fait le mauvais choix pour moi-même, s'il était le bon pour les autres. Ils ne voulaient pas voir débarquer leur tortionnaire parmi eux, soit, je pouvais le comprendre, mais s'ils ne pouvaient pas me voir, moi qui l'avais remplacé, il devait y avoir une erreur quelque part !

Je me suis dit qu'il ne sert jamais à rien d'essayer de réfléchir ou d'analyser ce qui se passe quand on se croit plongé dans un cauchemar, et je me suis appliqué à écouter le discours de Lionel Daunais jusqu'au bout, pour prendre mes distances de ces pensées troublantes que j'avais laissées s'égarer dans une avenue dangereuse. Il était question de Noël, de réjouissances, de souvenirs d'enfance, de succès sur cette même scène, des banalités sans nom d'un total ennui exprimées avec grandiloquence et une insupportable satisfaction de soi. Quand il a eu terminé, des applaudissements à peine polis se sont élevés dans la salle. On l'avait écouté d'une oreille distraite et on lui faisait comprendre qu'il avait été plutôt assommant, alors que la fête allait si bien avant qu'il ne l'interrompe. Il a fait celui qui ne s'aperçoit de rien et a salué comme s'il venait de connaître un véritable triomphe. Le cabotin dans toute sa splendeur qui refuse d'accepter qu'il a encore une fois irrité tout le monde.

La fête mit un certain temps à retrouver son rythme d'avant la malheureuse interruption de Lionel Daunais. Mais, le champagne fantôme aidant, je suppose, les conversations reprirent peu à peu, la musique s'éleva du piano, quelqu'un chanta quelque chose qui ressemblait à du Offenbach que la plupart des gens présents – en tout cas ceux qui avaient connu les années de gloire des Variétés Lyriques – reprirent en chœur.

Je restais là, planté sur la scène, inutile parce qu'invisible, je savais qu'il fallait que je quitte cet endroit le plus vite possible, mais j'étais incapable de faire un seul pas en direction de la trappe qui était restée ouverte, ce trou noir dans le plancher qu'on évitait avec soin sans même y jeter un coup d'œil. Ils étaient tous passés par là et n'avaient pas du tout envie d'y retourner.

Je me suis rendu compte à un moment donné que quelqu'un se tenait à côté de moi. Gloria était montée me rejoindre et me dévisageait. Je me suis penché sur elle en étirant le bras pour la toucher.

« Vous me voyez ? Vous m'entendez ? »

Rien. Juste ce regard intense et, encore, l'index pointé vers la trappe.

Un grand cri s'éleva dans le théâtre, comme un « ah ! » de satisfaction au terme d'une longue attente, des centaines de personnes applaudirent, quelqu'un entonna *Minuit, chrétiens* d'une voix de gorge, un ténor qui, c'était évident, n'avait pas chanté depuis un bon moment. Minuit. C'était Noël pour les fantômes aussi.

J'ai esquissé un petit au revoir de la main en direction de Gloria qui n'y répondit pas puisqu'elle ne pouvait pas me voir, juste sentir ma présence inopportune, et j'ai couru vers le trou dans le plancher. Des confettis tombaient du plafond, presque mille personnes s'égosillaient sur le *peuuuuuple à genouuuuux* pendant que je m'accroupissais sur le plancher de la scène du Monument-National.

Gloria – avait-elle déjà oublié mon existence ? – esquissait quelques pas d'une danse sensuelle venue d'Amérique du Sud au tournant de la guerre 39-45, un boléro ou un tango. Sans partenaire parce qu'elle n'en avait pas besoin. En murmurant des paroles que je n'entendais pas mais où trônait sûrement quelque part le mot *corazón.*

Je ne voyais que les premiers degrés de l'escalier abrupt qui descendait vers la taverne. Au-delà, tout était sombre, silencieux, et je me demandais comment Tooth-Pick allait m'accueillir... Mais Gloria regardait de nouveau dans ma direction au moment où j'ai étiré la jambe pour poser le pied sur la première marche. Cette fois, elle souriait. J'avais donc fait le bon choix. Mais j'étais plutôt perplexe en descendant l'échelle : Gloria devait bien savoir que j'allais être remplacé par Tooth-Pick, non ? J'ai souri en pensant qu'en fin de compte, quelques-uns des habitants du paradis de la *Main* se réjouissaient peut-être de passer l'éternité à insulter leur bourreau.

Ai-je besoin d'ajouter que je n'ai pas été bien reçu à l'étage en dessous ?

Tooth-Pick, rouge de fureur, a commencé par m'ordonner de remonter là-haut en répétant le geste de Gloria, mais en direction du plafond. Il me criait qu'il était trop tard, que j'avais fait mon choix, qu'il m'était impossible de revenir en arrière, que personne, jamais, n'était redescendu du Monument-National après une confession, qu'il avait passé son tour, qu'il était très bien où il était, qu'il n'avait pas l'intention de quitter la taverne de sitôt, etc. Au bout de cinq minutes d'invectives, de postillons et d'injures, j'ai placé mes deux mains sur son comptoir, je me suis penché vers lui et je lui ai parlé avec calme, en choisissant mes mots dans l'intention d'être bien clair :

« J'ai rien dit avant de monter, si tu te souviens bien, Tooth-Pick, j'ai pas dit que j'acceptais ta confession comme je l'avais fait avec les quatre autres, j'ai surtout pas dit que je t'accordais mon pardon parce que j'en avais pas l'intention. J'étais curieux de voir ce qu'il y avait en haut et je m'y suis rendu. C'était pas ma place et chuis revenu. Et là, maintenant, je te le dis : j'accepte ta confession, Tooth-Pick, et même si tu le mérites pas, je t'accorde mon pardon pour t'obliger à monter sur la scène du Monument-National faire face à tous ceux dont t'as abusé pendant si longtemps. Tu vas te retrouver le seul à pas être au paradis, plongé dans un enfer taillé à ta mesure au milieu de la liesse générale, et j'espère que tu vas payer le prix fort. Un prix plus élevé qu'à ta mort et qui va durer plus longtemps. Et, de toute façon, c'est pas ma confession qui s'est déroulée ici tout à l'heure, si tu te souviens bien, c'est la tienne. À toi d'en subir les conséquences. Et y est pas non plus question que je te remplace ici. Quelqu'un d'autre s'occupera de couper les citrons à ta place. Et j'voudrais bien en voir un essayer de m'empêcher de quitter la place ! »

Il est vite passé du rouge le plus violent au blanc le plus pâle, humble, tout à coup, balbutiant, suppliant, le trou de cul dans toute l'acception du mot, le faux aimable flagorneur prêt à tout pour arriver à ses fins, aussi subtil qu'une tonne de briques dans ses bobards éhontés et, en plus, étonné que je ne le croie pas sur parole quand il me jurait tout à coup qu'il n'avait jamais rien fait de mal de lui-même, que tout était de la faute de Maurice qui l'avait dressé à faire le bandit et que tout ce temps-là il n'avait été qu'une pauvre victime. J'étais tellement soufflé par son hypocrisie – il venait un peu plus tôt de me raconter le contraire – que je l'ai laissé parler pour voir jusqu'où il irait dans ses mensonges. Et il est allé très loin. Pour sauver sa peau. Sa soudaine gentillesse, factice et mielleuse, derrière laquelle je sentais une violence prête à exploser à tout moment si la conclusion de notre conversation n'était pas celle qu'il attendait, me glissait sur la peau comme une créature visqueuse. J'en avais même des frissons. Si ce genre de manipulation avait eu un quelconque effet sur la faune de la *Main*, elle n'en avait aucun sur moi et je continuais à le regarder droit dans les yeux pendant qu'il essayait de me convaincre de remonter l'escalier qui menait à la scène de la salle de spectacle pour retourner prendre sa place dans le panthéon de la *Main*.

Quand il a eu terminé son laïus qui avait quand même duré un certain temps, je n'ai rien répondu. Je me suis contenté de lui tourner le dos et de me diriger d'un bon pas vers la porte qui m'avait donné accès à tant d'émotions fortes depuis cinq mois. Tooth-Pick avait une fois de plus fait volte-face et recommencé à m'injurier lorsque, juste avant de sortir de la grande pièce, j'ai senti qu'une main frôlait mon bras.

Une vieille dame, grasse et au teint laiteux, vêtue d'un deux-pièces rouge vif qui faisait presque mal aux yeux, gantée et chapeautée, tirait sur ma manche de veste.

« Vous allez revenir, non ? »

Je savais que je ne reviendrais pas, que Tooth-Pick avait été ma dernière confrontation avec le monde de la *Main*, mais le regard suppliant de la vieille dame me fit mentir, par pure gentillesse, pour ne pas lui faire de la peine.

« Je sais pas. Peut-être bien. »

Elle a enlevé son gant droit, rouge lui aussi, et a posé la paume de sa main sur ma joue.

« J'étais la prochaine. Ça fait tellement longtemps que j'attends, si vous saviez… Et… je sais pas… c'est à vous que j'aurais aimé me confesser. »

Je m'attendais presque à ce qu'elle ajoute « mon père », et j'ai dû rougir de confusion parce qu'elle est partie d'un bon rire franc qui faisait du bien.

« J'vas tout de suite prendre la place devant la porte. À la première table. Derrière un bon Singapore Sling. Et la prochaine fois que vous viendrez, y sera pas question que vous écoutiez personne d'autre que Fine Dumas ! À bientôt, j'espère ! Et oubliez pas votre canard laqué… vous l'avez laissé sur votre chaise, tout à l'heure… et Tooth-Pick y a pas touché. »

Comment la décevoir ? Après tout, quelqu'un d'autre allait peut-être se présenter dans peu de temps pour me remplacer et Fine Dumas serait bien contente de se confesser à lui, ou à elle, quoi qu'elle en dise. Je savais que je n'étais pas le premier confesseur à venir visiter la taverne et que je n'étais sans doute pas le dernier.

« À bientôt, peut-être, madame Dumas. »

J'ai pris en passant mon canard laqué qui avait eu le temps de refroidir, mais qui fleurait toujours bon les épices chinoises.

La dernière image que je garde du musée du Monument-National, c'est Tooth-Pick qui grimpait avec une lenteur calculée l'échelle menant au paradis de la *Main*, tête basse, épaules arrondies, comme s'il montait à l'échafaud.

Aussitôt qu'il a eu passé la tête dans la trappe, j'ai entendu s'élever les premières huées.

Au claquement sec que produisit la porte en se refermant derrière moi, j'ai compris que c'était vraiment la dernière fois, que je venais de faire mon ultime visite à la taverne sous le Monument-National, que j'avais en quelque sorte terminé le

236

rôle qu'on m'avait attribué et que le trou dans le mur serait désormais hors de ma portée. Ma vision était parfaite, aucune couleur ne manquait, cette visite ne me coûterait rien parce que ma tâche était achevée. La perte d'une partie des couleurs à l'issue de chacune des confessions avait-elle été une sorte d'avertissement : si tu ne reviens pas, tu deviendras peu à peu aveugle ? Avais-je évité la cécité complète en condamnant Tooth-Pick ? Ça non plus je ne le saurai jamais. Un mystère de plus dans une aventure déjà bien compliquée.

Je me suis appuyé dos à l'une des portes du théâtre. J'aurais pleuré. Parce que je n'entendrais pas la confession de la vieille dame en camaïeu rouge qui me semblait si intéressante ? Ou celle des autres silhouettes que j'avais devinées dans l'obscurité de la taverne et dont je ne connaîtrais jamais les souvenirs ? Peut-être bien. Mais aussi parce que j'allais retourner à ma vie solitaire de préretraité, réglée comme du papier à musique et si peu aventureuse, une vie que j'avais choisie, oui, loin de ce qui excitait mon imagination intempestive et consacrée entièrement à ce qu'on pourrait appeler des « loisirs », saupoudrée de remèdes de toutes sortes pour garder une certaine stabilité, mais qui me paraîtrait à partir de maintenant, après ces histoires de violence, de crimes et de traîtrises de toutes sortes, bien grise et beaucoup trop calme.

Et si, comme il m'arrivait de le penser, j'avais inventé tout ça, si j'avais eu le besoin de me raconter à moi-même ces horreurs pour une raison ou pour une autre, il me semble que je n'aurais pas dû me buter à ce soudain interdit, que ç'aurait dû continuer tant que je l'aurais voulu, mes *Mille et une nuits* à moi, ce n'est pas le sens de l'invention qui me manquait ! Mais non, je savais que c'était fini et que je devais en faire mon deuil. Si tout ça venait d'ailleurs, quelqu'un avait coupé le courant ; si ça venait de moi, quelque chose, en se brisant ou en se réglant, avait mis un point final à mes incursions. Parce qu'elles étaient devenues inutiles ?

Avais-je guéri de quelque chose sans m'en rendre compte ?

Il n'y a rien de plus triste au monde que la rue Saint-Laurent une nuit de Noël. Il faisait froid, aucune neige sérieuse n'était encore tombée, les trottoirs étaient vides. Des partys devaient sans doute déployer leurs excès de fausse joie dans les différents bars de la *Main*, mais la rue elle-même restait désespérément déserte et j'avais l'impression d'être cloué là, sur la porte du Monument-National, immobilisé par ma propre inertie, et qu'il ne servait à rien de lutter.

Quelqu'un s'est approché de moi. Je dois avouer que je l'ai senti avant de le voir. Alcool et crasse. Puis j'ai reconnu la voix graveleuse de mon voisin de comptoir du Montreal Pool Room, le jour où j'avais pour la première fois franchi la porte du Musée du Monument-National. Il avait les yeux rouges, de la morve lui coulait du nez, il titubait et il sentait fort le pipi séché.

« Y me semble que je te connais, toi ! »

J'ai acquiescé. Je n'avais pas envie d'engager une conversation avec lui, mais il ne semblait pas s'en rendre compte. Il s'est approché plus près en se penchant un peu pour essayer de voir mon visage que je gardais caché dans mon col de manteau.

« On se connaît, non ?

— Oui, ça se peut…

— Certain, que ça se peut ! J'te replace, là ! Tu te tiens encore devant le Monument-National ? Veux-tu l'acheter, 'coudonc ? »

Il partit d'un grand rire vite suivi d'une toux grasse qu'il lui était impossible de maîtriser et qui s'étira sur deux bonnes minutes.

« Excuse-moi. La cigarette. La boisson. Pis si les femmes faisaient tousser, ça fait longtemps que je serais mort ! »

Autre rire, autre quinte de toux.

« Qu'est-ce que tu fais sur la *Main* une nuit de Noël ? T'es tout seul ? Tu viens juste de rejoindre les rangs des robineux pis tu sais pas quoi faire ni où aller ? Ben, j'ai des petites nouvelles pour toi, mon homme : y a rien à faire pis nulle part où aller ! J'ai remarqué que tu sentais pas… À part le canard laqué que tu tiens serré contre toi, bien sûr, et qu'on peut deviner parce qu'y sent fort, même à travers le papier gras… T'es vraiment nouveau, hein ? Ben, essaye de pas sentir le plus longtemps possible, c'est ça qui fait que le monde arrête de te donner de l'argent, quand tu commences à sentir. Moi, je sentais pas y a pas longtemps pis je me défendais assez bien. Mais là… »

Il a posé sa main sur mon épaule comme pour m'encourager et, à mon grand étonnement, je me suis aussitôt senti décloué de la porte du théâtre, libéré. Un grand calme coulait dans mon dos, le long de ma colonne vertébrale, un soulagement inattendu que j'ai accueilli avec reconnaissance.

Mon ami le robineux venait de couper le cordon qui me retenait à une porte qui n'existait peut-être pas.

Il continuait :

« On vient qu'on a pus le goût de lutter pis on se laisse aller, je le sais, je connais ça… Pis ça donne des nuits comme aujourd'hui… »

Je l'ai invité à manger. Parce que j'avais faim. Et, surtout, que je ne voulais pas rester seul.

« Là, tu parles ! Le Montreal Pool Room est encore ouvert ! Pour les tu-seuls comme nous autres ! As-tu assez d'argent ? Y m'en reste peut-être un peu, moi, si j'ai pas tout bu… Mais chus pas sûr de pas avoir tout bu… En tout cas, on verra ben… Pis si on a pas de quoi payer, y vont nous faire crédit, je les connais bien, c'est ma cantine depuis tellement longtemps que la graisse qui flotte dans le restaurant m'appartient, je l'ai payée… grassement ! ! »

J'ai donc passé le reste de cette nuit au Montreal Pool Room à manger des hot dogs *steamés* et des frites grasses et à écluser avec mon nouvel ami

– qui continuait à prétendre avoir été quelqu'un, jadis – Pepsi diète par-dessus Pepsi diète pour faire passer tout ça. Il sortait parfois de sa poche de manteau une bouteille de robine – que j'avais refusé de toucher parce que j'ignorais de quels ingrédients suspects était fait cet alcool frelaté, d'autant qu'il ne voulait pas me le dire – et buvait à grandes goulées de son poison fait maison qu'il semblait par ailleurs trouver délicieux. Nous avons aussi décortiqué mon canard laqué froid en nous léchant les doigts et en poussant des soupirs de satisfaction.

Et nous avons épuisé, en compagnie du cuisinier, de son assistant et de quelques péquenauds venus se joindre à nous, tout le répertoire de Noël, de *Çà, bergers, assemblons-nous* à *Belle nuit, sainte nuit*, en passant, bien sûr, par l'incontournable *Minuit, chrétiens* que nous avons assassiné à de nombreuses reprises et avec un évident plaisir.

Une nuit étonnamment douce, étonnamment belle.

Et ce n'est qu'en sortant du Montreal Pool Room que je me suis rappelé que mon ami le robineux m'avait dit s'appeler Maurice, la première fois que je l'avais rencontré.

Maurice-la-piasse n'avait donc pas abouti au paradis de la *Main*, en fin de compte… La mort ne l'avait pas encore rattrapé, quoi que raconte la rumeur. Et, c'était évident, il ne s'était jamais remis de la disparition de son Tooth-Pick.

Lorsque je suis entré chez moi aux petites heures du matin, je sentais les oignons, le chou, la saucisse à hot dog, la graisse de frites et peut-être un petit peu, moi aussi, le pipi séché.

Seul.

Avec un nœud dans la gorge. Et un trou dans le cœur.

Key West
1er décembre 2005 – 17 mars 2006

En souvenir des histoires de Jean Ray,
en particulier *Le psautier de Mayence* et *Malpertuis*,
qui ont enchanté la fin de mon adolescence.

M. T.

TABLE

ROMANS, RÉCITS ET CONTES

Contes pour buveurs attardés, Éditions du Jour, 1966; BQ, 1996

La cité dans l'œuf, Éditions du Jour, 1969; BQ, 1997

C't'à ton tour, Laura Cadieux, Éditions du Jour, 1973; BQ, 1997

Le cœur découvert, Leméac, 1986; Babel, 1995

Les vues animées, Leméac, 1990; Babel, 1999

Douze coups de théâtre, Leméac, 1992; Babel, 1997

Le cœur éclaté, Leméac, 1993; Babel, 1995

Un ange cornu avec des ailes de tôle, Leméac/Actes Sud, 1994; Babel, 1996

La nuit des princes charmants, Leméac/Actes Sud, 1995; Babel, 2000; Babel junior, 2006

Quarante-quatre minutes, quarante-quatre secondes, Leméac/Actes Sud, 1997

Hotel Bristol, New York, N.Y., Leméac/Actes Sud, 1999

L'homme qui entendait siffler une bouilloire, Leméac/Actes Sud, 2001

Bonbons assortis, Leméac/Actes Sud, 2002

Le cahier noir, Leméac/Actes Sud, 2003

Le cahier rouge, Leméac/Actes Sud, 2004

Le cahier bleu, Leméac/Actes Sud, 2005

Le gay savoir, Leméac/Actes Sud, coll. « Thesaurus », 2005

CHRONIQUES DU PLATEAU-MONT-ROYAL

La grosse femme d'à côté est enceinte, Leméac, 1978; Babel, 1995

Thérèse et Pierrette à l'école des Saints-Anges, Leméac, 1980; Grasset, 1983; Babel, 1995

La duchesse et le roturier, Leméac, 1982; Grasset, 1984; BQ, 1992

Des nouvelles d'Édouard, Leméac, 1984; Babel, 1997

Le premier quartier de la lune, Leméac, 1989; Babel, 1999

Un objet de beauté, Leméac/Actes Sud, 1997

Chroniques du Plateau-Mont-Royal, Leméac/Actes Sud, coll. « Thesaurus », 2000

THÉÂTRE

En pièces détachées, Leméac, 1970

Trois petits tours, Leméac, 1971

À toi, pour toujours, ta Marie-Lou, Leméac, 1971
Les belles-sœurs, Leméac, 1972
Demain matin, Montréal m'attend, Leméac, 1972 ; 1995
Hosanna suivi de *La Duchesse de Langeais*, Leméac, 1973 ; 1984
Bonjour, là, bonjour, Leméac, 1974
Les héros de mon enfance, Leméac, 1976
Sainte Carmen de la Main, Leméac, 1976
Damnée Manon, sacrée Sandra suivi de *Surprise ! Surprise !,*
    Leméac, 1977
L'impromptu d'Outremont, Leméac, 1980
Les anciennes odeurs, Leméac, 1981
Albertine en cinq temps, Leméac, 1984
Le vrai monde ?, Leméac, 1987
Nelligan, Leméac, 1990
La maison suspendue, Leméac, 1990
Le train, Leméac, 1990
Théâtre I, Leméac/Actes Sud-Papiers, 1991
Marcel poursuivi par les chiens, Leméac, 1992
En circuit fermé, Leméac, 1994
Messe solennelle pour une pleine lune d'été, Leméac, 1996
Encore une fois, si vous permettez, Leméac, 1998
L'état des lieux, Leméac, 2002
Le passé antérieur, Leméac, 2003
Le cœur découvert – scénario, Leméac, 2003
L'impératif présent, Leméac, 2003
Bonbons assortis au théâtre, Leméac, 2006
Théâtre II, Leméac/Actes Sud-Papiers, 2006

OUVRAGE RÉALISÉ
PAR LUC JACQUES, TYPOGRAPHE
ACHEVÉ D'IMPRIMER
EN OCTOBRE 2006
SUR LES PRESSES DES
IMPRIMERIES TRANSCONTINENTAL
POUR LE COMPTE DE
LEMÉAC ÉDITEUR, MONTRÉAL

DÉPÔT LÉGAL
1re ÉDITION : OCTOBRE 2006
(ÉD. 01 / IMP. 01)
Imprimé au Canada